RÉGLEZ-LUI
SON COMPTE !

DU MÊME AUTEUR

Dans la même collection :

L'archipel des Malotrus.
Zéro pour la question.
Bravo, docteur Béru.
Viva Bertaga.
Un éléphant, ça trompe.
Faut-il vous l'envelopper ?
En avant la moujik.
Ma langue au Chah.
Ça mange pas de pain.
N'en jetez plus !
Moi, vous me connaissez ?
Emballage cadeau.
Appelez-moi chérie.
T'es beau, tu sais !
Ça ne s'invente pas !
J'ai essayé : on peut !
Un os dans la noce.
Les prédictions de Nostrabérus.
Mets ton doigt où j'ai mon doigt.
Si, signore.
Maman, les petits bateaux.
La vie privée de Walter Klozett.
Dis bonjour à la dame.
Concerto pour porte-jarretelles.
Sucette boulevard.
Remets ton slip, gondolier.
Chérie, passe-moi tes microbes !
Une banane dans l'oreille.
Hue, dada !

Vol au-dessus d'un lit de cocu.
Si ma tante en avait.
Fais-moi des choses.
Viens avec ton cierge.
Mon culte sur la commode.
Tire-m'en deux, c'est pour offrir.
A prendre ou à lécher.
Baise-ball à La Baule.
Meurs pas, on a du monde.
Tarte à la crème story.
On liquide et on s'en va.
Champagne pour tout le monde !

Hors série :

L'Histoire de France.
Le standinge.
Béru et ces dames.
Les vacances de Bérurier.
Béru-Béru.
La sexualité.
Les Con.
Si « Queue-d'âne » m'était conté.
Y a-t-il un Français dans la salle ?

Œuvres complètes :

Vingt tomes déjà parus.

Les Éditions Fleuve Noir

présentent

la première série des révélations

de

SAN-ANTONIO

RÉGLEZ-LUI SON COMPTE !

(Kill Him)

Adaptées et post-synchronisées par
FRÉDÉRIC DARD

ÉDITIONS FLEUVE NOIR
6, rue Garancière — PARIS VIᵉ

© 1981, « Éditions Fleuve Noir », Paris.

Reproduction et traduction, même partielles, interdites. Tous droits réservés pour tous pays, y compris l'U.R.S.S. et les pays scandinaves.

ISBN : 2-265-01741-8

PREMIÈRE PARTIE

FAITES CHAUFFER LA COLLE

CHAPITRE PREMIER

PLUS MOYEN DE DORMIR !

Si un jour votre grand-mère vous demande le nom du type le plus malin de la Terre, dites-lui sans hésiter une paire de minutes que le gars en question s'appelle San-Antonio. Et vous pourrez parier une douzaine de couleuvres contre le dôme des Invalides que vous avez mis dans le mille ; parce que je peux vous garantir que la chose est exacte étant donné que le garçon en question c'est moi.

Ça vous surprend, hein ?

Et d'abord vous vous dites : « Pourquoi se fait-il appeler San-Antonio ? »

Eh bien, je vais vous répondre. Lorsqu'un type dans mon genre écrit ses mémoires, après avoir exercé pendant quinze ans le plus dangereux de tous les métiers, c'est qu'il en a gros comme l'Himalaya à raconter ; en conséquence, il ne peut s'offrir le luxe de faire clicher son bulletin de naissance sur la page de couverture.

Mon nom importe peu. Du reste, il n'y a pas dix personnes au monde qui connaissent ma véritable identité. Et ceux qui ont essayé d'en apprendre trop long sur la question ressemblaient davantage à une demi-livre de pâté de foie qu'à Tyrone Power après que je leur aie eu conseillé de cesser les recherches.

Vous saisissez ?

Bon !

Maintenant je vais vous parler de moi, et vous donner des détails indispensables sur ma petite personne. Je dois vous dire pour commencer que si je ne suis pas le sosie d'Apollon, je n'évoque pas non plus un tableau de Picasso. Je ne me souviens plus du nom du bonhomme qui a dit que la beauté ne se mangeait pas en salade, mais j'ai dans l'idée que ce type-là n'avait pas du ciment armé à la place du cerveau. Il avait extraordinairement raison, et les femmes ne vous diront pas le contraire. Essayez de leur présenter, sur une assiette, un petit freluquet bien frisotté avec, à côté, un gaillard de ma trempe, et vous verrez si ce n'est pas San-Antonio qu'elles choisiront, malgré sa tête de bagarreur et ses façons brusques.

Je connais à fond la question.

Sur les femmes, je pourrais vous en écrire si long qu'un rouleau de papier peint ne me suffirait pas.

Mais je ne suis pas de l'Académie française, et le blablabla psychologique n'est pas mon fort. Je vous assure que chez nous, aux Services secrets, nous ne passons pas nos loisirs à lire des romans à la réglisse. Pour nous chanter le couplet sentimental il faut se lever de bonne heure, ça je vous le dis ; et il serait plus facile de charmer un ménage de crocodiles avec des boniments de midinette que de nous faire tomber en pâmoison avec des histoires de clair de lune.

Les petites mômes c'est bien joli, mais moins on y attache d'importance, mieux ça vaut. Surtout lorsqu'on pratique une profession où il y a plus de morceaux de plomb à gagner que de coquetiers en buis sculpté. Avec moi pas de pommade. Dites-vous bien que si je me bagarre avec mon porte-plume présentement, c'est pas pour jouer les romantiques. Les mandolines, c'est pas le genre de la maison et je me sens plus à l'aise avec la crosse de mon Walter 7,65 silencieux dans la main, qu'avec ce stylo qui bave comme un escargot qui voudrait traverser les Salins d'Hyères.

Dans l'affaire que je vais avoir l'honneur et l'avantage de vous relater, il y a des poupées bien tournées, des chouettes, des pin-up N° 1 comme vous n'en avez jamais vues dans les technicolors d'Hollywood...

Mais je vous jure que je m'en serais bien passé...

Ça a commencé comme d'habitude : je dormais. Je ne sais pas si vous êtes comme moi, mais je trouve qu'à part la bombe atomique, on n'a jamais rien inventé de mieux que le lit.

J'étais en train de rêver que le Shah de Perse me faisait visiter sa basse-cour, ou je ne sais pas quoi de rigolo, quand voilà Félicie qui me réveille. Félicie, pour tout vous expliquer, c'est ma mère. Une bonne vieille, pas du tout le genre ruine, mais pas non plus la tête de Lady qu'on voit sur les bouteilles de Marie Brizard. Une tête de chic vieille maman de chez nous, vous voyez ce que je veux dire ?

Elle a un coup particulier pour m'appeler lorsque j'en écrase. Elle toussote et éternue comme une souris. Boum ! J'ouvre les yeux. Il fait grand jour. Tout de suite, je me dis que c'est au poil et que je vais pouvoir faire ma partie de pêche sur les bords de la Seine. Et puis ma matière grise démarre à cent à l'heure et je comprends que si Félicie m'a réveillé, c'est pas pour me raconter que la chatte de la laitière a fait des petits.

Dans ce métier il faut s'attendre à tout. Vous rentrez de mission, vous croyez tirer quelques jours au vert, dans votre pavillon de Neuilly, et puis voilà qu'un motard rapplique avec une enveloppe bleue dans les doigts. Je regarde les mains de Félicie et justement, j'aperçois une enveloppe bleue. Je me mets en rogne. Alors quoi, il n'y a plus moyen de tirer douze heures consécutives sous les plumes ! Félicie baisse la tête comme si c'était sa faute. Elle qui devait me faire une quiche lorraine pour le repas de midi...

J'ouvre le message. Le chef m'ordonne de filer illico à Marseille pour m'occuper d'une affaire bien gratinée qui est peut-être plus de notre ressort que de celui de la Sûreté. Je dis à Félicie de me préparer une petite valise, je décroche le téléphone et je demande Orly. Un gars de

l'aéroport me répond que l'avion pour Marseille va partir
dans une heure, mais qu'il est complet. Alors, je lui
chuchote quelques mots magiques et je l'entends qui se
met au garde-à-vous. Il me dit que ça colle et que je peux
amener mes cent quatre-vingts livres dans son Dakota.
Une heure ! Je m'habille si vite que Frégoli à côté de moi
est un paralytique. J'avale une tasse de thé-citron. J'embrasse Félicie qui, comme chaque fois, me recommande
de faire attention à son fils unique et je saute dans ma
traction.

Quand je suis au volant de ma bagnole, vous pouvez
être assurés qu'un météore ne va pas plus vite que moi.

Il faut me voir traverser Paris !

Pour commencer, j'écrase le champignon jusqu'à ce
que l'aiguille du compteur de vitesse aille se mettre sur le
cent vingt et n'en bouge plus. Je traverse la ville à l'allure
des pompiers lorsqu'il y a le feu chez le Président de la
République ; les flics sifflent tellement qu'on se croirait à
un examen de garçons laitiers. Mais vous pensez si je m'en
balance...

En passant à la porte d'Italie, je manque aplatir un
cantonnier et je l'entends qui me crie sa façon de penser
sur les types qui prennent les avenues de Paname pour la
piste de Montlhéry. Je rigole un bon coup et je continue à
enfoncer la pédale d'accélération. Je file tellement vite que
je me demande presque si ça vaut le coup de prendre
l'avion. A cette vitesse-là, il y a gros à parier que je peux
être à Marseille avant le Dakota.

Lorsque je débouche sur le port aérien, je m'aperçois
que les deux moteurs de mon oiseau tournent déjà à plein
régime et l'hôtesse de l'air s'apprête à grimper dans le
toboggan.

Elle est drôlement bien fabriquée, cette gamine.

J'escalade la passerelle à sa suite.

Il était temps, moi je vous le dis.

CHAPITRE II

IL EST QUESTION DU MACCHABÉE

Sitôt débarqué à Marseille, je saute dans un taxi. Le chauffeur est une espèce de mulâtre triste qui a les yeux d'un cheval qui viendrait de se faire opérer de la vésicule biliaire. Je lui ordonne de me conduire dare-dare à la Sûreté, et surtout de ne pas compter les bordures de trottoirs en route, because je ne m'intéresse pas à la question. Il sourit lugubrement. Ce moricaud a dû lire, la veille, un roman de Pierre Loti, ou alors il a reçu sa feuille d'impôts. Néanmoins, il conduit comme un prince russe. Il faut le voir doubler les tramways à gauche et brûler les signaux rouges ! En dix minutes je suis arrivé. Dans mon enthousiasme je lui refile cent balles de gratification. Il a l'air ahuri par ma générosité et se demande si, pour ce prix-là, il ne doit pas me chanter quelque chose. Je me lance dans les escaliers. Dans le hall, un agent m'avertit que le chef de la police ne reçoit pas le public. Alors je lui flanque mon insigne sous le nez et il me fait le salut militaire. Un de ses collègues prend livraison de ma personne et la véhicule à travers des bureaux où des inspecteurs cassent la croûte. Un instant plus tard, je suis introduit dans le cabinet du grand patron. Ils me plaisent tous les deux : le bureau parce qu'il est clair, et le patron parce qu'il n'a pas l'air m'as-tu-vu. C'est un grand type maigre qui ressemble à Antony Eden. Il se lève, fait le tour de son bureau, et me serre chaleureusement la main.

— C'est vous San-Antonio ?

— Tout me porte à le croire, chef.

Il sourit. Voilà au moins un bonhomme qui aime le parler relâché.

— J'ai beaucoup entendu parler de vous, déclare-t-il. S'il croit chatouiller ma modestie, il se trompe.

— Ça ne m'étonne pas, je lui réponds tranquillement.

Il m'examine avec curiosité.

— Vous êtes un drôle de corps, hé ?

Il me désigne un fauteuil assez large pour que puissent y prendre place deux centenaires et leurs descendants. Je m'y répands illico. Ouf ! Ça n'est pas mauvais de s'asseoir sur quelque chose d'immobile après une galopade comme celle que je viens de faire.

Je sors une cigarette de ma poche et je me l'offre sans manière.

— Allez-y, patron, je vous écoute.

Il ouvre un tiroir et en extrait un dossier vert sur lequel un type a dû tirer une langue longue comme ça pour écrire un titre en ronde. Il se met à le caresser amoureusement, comme s'il s'agissait d'un petit chat.

— Une étrange affaire, murmure-t-il.

Je ricane :

— Vous m'excitez...

Il secoue la tête rêveusement et dit d'une voix sourde :

— C'est très excitant en effet. Avez-vous lu des romans policiers, commissaire ?

— Quelquefois, mais à la vingtième page, j'avais mis le grappin sur le coupable.

— Espérons qu'il en sera de même cette fois-ci, malgré que l'affaire n'appartienne pas à la fiction. Voilà un résumé de l'histoire... Hier, des ouvriers de la ville qui réparaient une canalisation d'eau souterraine ont trouvé un cadavre dans la rue Paradis. Le sous-sol, particulièrement humide à cet endroit, a hâté la décomposition. L'homme, car c'est d'un homme qu'il s'agit, était nu. Il ne reste pas grand-chose de lui, comme vous verrez. Nous pouvons néanmoins nous prononcer très exactement sur la date de son inhumation. Celle-ci a eu lieu voici huit mois. A cette époque, en effet, des travaux furent faits à la même canalisation. On peut penser, sans crainte de se tromper, que le cadavre fut enterré à ce moment-là, car on ne peut imaginer un seul instant que des particuliers dépavent la chaussée et creusent une tombe au milieu d'une des rues les plus passantes de Marseille.

Moi, je suis d'accord avec le chef. Intérieurement je jubile parce que je trouve que l'assassin est un drôle de petit malin. Vous avouerez que l'idée d'enterrer un citoyen à cet endroit indique clairement que nous avons affaire à quelqu'un de fortiche.

J'en ai l'eau à la bouche, car je suis pour les parties difficiles à jouer, et je suppose que pour gagner celle-ci, il faut être sorti de nourrice depuis un bout de temps...

— Merveilleux, chef. Seulement, entre nous, je ne vois pas ce que je viens fiche dans l'aventure qui m'a plus l'air de relever de la Sûreté que de nos services. Le fait divers, c'est pas notre job.

Le directeur secoue la tête gentiment. Il ouvre son dossier et y prend une enveloppe dont il vide le contenu sur son bureau. Un petit tube de celluloïd tombe sur le sous-main.

— Voilà pourquoi vous êtes ici, assure-t-il en faisant rouler le minuscule objet au bout du doigt.

Je le regarde d'un œil éperdu, parce que, franchement, je ne comprends pas en quoi ce tube justifie mon entrée dans la danse.

— Le type, poursuit mon interlocuteur, n'a pu être identifié, son signalement a été transmis au service des disparitions, mais ça n'a encore rien donné. Il faut dire aussi que ce signalement-là est bien imprécis. (Il pousse un petit rire cynique.) Le corps ne révèle aucun signe particulier, c'est celui d'un homme adulte d'une quarantaine d'années, de taille normale. Il possède une denture impeccable, donc il n'y a rien à chercher du côté des dentistes. Mais... car dans toutes les affaires, heureusement pour les policiers, il y a un mais, le mort avait ce tube dans la bouche.

Je me penche sur le bureau. Je vois que l'engin en question ressemble à un étui de mines.

— Vous savez ce que c'est? me demande le grand patron.

Je vais pour dire non, puis voilà que tout à coup, je pige.

— J'y suis! C'est un étui pour messages par pigeons voyageurs.

— Exactement!

— Alors, vous croyez à une affaire d'espionnage?

— Je ne crois à rien... C'est une indication...

— Fragile...

Il fronce les sourcils.

— Fragile, oui, je vous l'accorde. Mais caractéristique tout de même. Vous conviendrez que la présence de cet objet dans la bouche de mon bonhomme est pour le moins singulière. Par ailleurs, la disparition de cet homme n'ayant pas été signalée, j'ai tout lieu de croire qu'il s'agit d'une affaire de votre ressort.

C'est un peu mon avis.

Il me remet le dossier et se lève pour me signifier qu'il m'a assez vu.

— Si vous avez besoin d'auxiliaires, me dit-il, demandez le commissaire Favelli. Je vais lui donner des instructions. C'est un garçon très bien. Quant au macchabée, il est à la morgue. A bientôt!

Je serre sa main nerveuse. Et je me rue vers la sortie. Parce que depuis un moment déjà, j'ai des idées de pastis dans la tête. Et quand San-Antonio a soif, il n'est même pas capable de gagner une partie de dominos à un nouveau-né.

CHAPITRE III

PAS DE PLAN DE CAMPAGNE

Me voilà dans la rue. Il fait un soleil à tout casser. Je m'écroule à une terrasse et je me fais servir un double pastis, aussi épais que la conscience d'un huissier. Après quoi, je décide de trouver une chambre. Je me dirige vers un hôtel confortable du cours Belzunce. Je prends une chambre aussi vaste que l'hémicycle du Palais Bourbon car je ne sais pas si je vous l'ai appris, mais je suis claustrophobe, c'est-à-dire que dans les endroits exigus j'étouffe comme si j'étais dans une guêpière. Je jette un coup d'œil au lit et je comprends illico que nous allons devenir une paire d'amis tous les deux. Ce citoyen a tout ce qu'il faut pour plaire à un type qui a été réveillé en sursaut. Je sens aussitôt qu'un voyage au pays des rêves m'est absolument nécessaire. Moi, je ne suis pas ce genre de beauté qui reste trois mois en ébullition rien qu'en buvant du café. Avant de me mettre dans le bain du boulot il faut que je sois neuf. Et pour retaper un bonhomme, on n'a rien inventé de mieux que le dodo.

Je sonne le garçon d'étage, et je lui dis de m'amener une bouteille de cognac. Car, excepté mon double pastis, je n'ai avalé, depuis ce matin, qu'une furieuse ration de kilomètres, et je trouve qu'en fait de vitamines, c'est un peu mince. Ce bovidé m'apporte une mixture qui tient du vernis à ongles et de la lotion capillaire ; je le rappelle et je lui explique posément qu'il devrait courir chez l'oculiste du coin, parce que sa vue doit être chancelante s'il a cru

qu'avec la tête que je trimbale sur mes épaules j'accepterai
sa bouteille de truc à zigouiller le doryphore pour du
cognac. Après quoi, toujours sur le ton de l'amitié, je lui
conseille de me ramener une drogue plus sérieuse, s'il ne
veut pas que je lui fasse manger la pomme d'escalier.
Cette fois il comprend illico la différence qu'il y a entre
mon gosier et une sulfateuse. Il me ramène un flacon de
véritable, je le débouche et je me fais un bon lavage
d'estomac. Et puis, je me couche. De toute façon, il n'y a
pas urgence. Le macchabée ne se sauvera pas de la
morgue, et si celui qui lui a fait avaler son extrait de
naissance n'a pas eu le temps, en huit mois, de se faire
naturaliser papou ou esquimau, c'est qu'il s'agit d'une
superbe nave, auquel cas il doit m'attendre au café voisin.

Je plonge dans le sommeil la tête la première.

Je me réveille vers la fin de l'après-midi. J'ai la bouche
triste comme si j'avais mangé un édredon. Pour combattre
ce malaise, j'empoigne la bouteille et je lui dis deux mots
dans le tuyau du goulot. A ce moment-là, je m'épanouis
comme un massif de glaïeuls en été. Mes idées se
remettent en place comme les chevaux savants du cirque
Bouglione. Je m'habille, je m'envoie un coup de vaporisa-
teur, au cas où je rencontrerais une dame qui aurait perdu
son chemin, et je décide de rendre une petite visite de
politesse au zèbre de la morgue qui prend la rue Paradis
pour le Père Lachaise.

Croyez-moi, ou ne me croyez pas, le spectacle n'a rien
de folichon. Le pauvre garçon fait une drôle de tête, si
l'on peut dire, car maintenant il ne ressemble pas à grand-
chose. J'ai beau le regarder, je n'en apprends pas plus sur
son identité que si j'examinais une collection de caméléons
empaillés. Cette enquête me promet bien de la volupté. Et
d'abord de quoi est-il mort ? Je pense tout à coup que le
directeur de la Sûreté a oublié de me le dire. Je pose la
question qui me tracasse au gardien-chef.

— Dites donc, je suppose qu'il n'est pas décédé des suites d'une pneumonie ?

Le gardien rigole.

— Sûr que non ! Le professeur Plassard qui l'a autopsié assure qu'il a été empoisonné à l'acide prussique.

Je dis merci, que ça va bien comme ça, et je m'en vais. Où ? Je n'en sais rien. Peut-être me taper la cloche. Je me sens tout chose. Excepté le petit tube de celluloïd, il n'y a pas plus d'indices dans cette histoire que de cheveux sur la tête d'un hanneton. J'ai nettement l'impression que, pour apercevoir quelque chose, il faudra que j'emprunte la lorgnette du copain qui fait admirer Marseille aux touristes du haut de Notre-Dame de la Garde.

Mais, je vous l'ai affirmé, je ne suis pas homme à m'avouer vaincu avant d'avoir combattu.

Afin de chasser mes idées noires, je vais me gargariser dans un bistrot où je demande au barman l'adresse d'un restaurant sérieux. Ça fait au moins vingt-quatre heures que mes dents sont en grève. Et Félicie m'a toujours dit que notre cerveau devient aussi désert qu'une salle de conférences lorsque notre tube digestif reste en panne trop longtemps.

Tout en mangeant, je voue le barman qui m'a donné l'adresse de ce restaurant aux cinq cents diables. Ce garçon s'est royalement moqué de moi, ou alors il a des intérêts dans cette maison, parce que, si l'action à laquelle je me livre présentement s'appelle dîner, moi, je suis Christophe Colomb.

On me sert un pâté maison façon briquette d'aggloméré, puis un civet de lapin, et je comprends, en examinant les os de la bestiole, que la pauvre bête a mangé plus de souris que de foin dans sa vie. Mais, vous l'avez deviné, j'ai un estomac d'autruche et je peux vous avouer qu'un jour, à Cuba, j'ai dû manger des épluchures d'oranges pour me sustenter. Il n'empêche que je déteste me taper des résidus de poubelles. Je note l'adresse de la gargote en me promettant de la refiler à ma belle-mère, si un jour je me marie.

La seule chose possible dans cet établissement à la flan, c'est le café filtre. Je m'en expédie deux, coup sur coup, dans l'œsophage, car je sens que je vais en avoir rudement besoin dans un proche avenir. Après quoi, je règle la note à contrecœur.

Jusqu'ici je n'ai encore rien décidé quant à la conduite à tenir.

Et si je m'y mettais ?

CHAPITRE IV

JE CONNAIS LA MUSIQUE

Il n'y a pas besoin d'avoir fait ses études à la Sorbonne pour comprendre que, dans le cas qui m'intéresse, la seule chose intelligente à faire, c'est d'aller fouiner du côté de la rue Paradis. On a beau dire, mais le lieu du crime est toujours capital dans une enquête, même si, contrairement à la légende, l'assassin ne vient pas, avec un casse-croûte et un bouquin de cinq cents pages, attendre que le flic maison rapplique pour lui passer les menottes.

Me voilà donc sur la Canebière. Je me laisse porter un moment par la foule. Puis j'oblique sur la gauche. Je bifurque dans des rues étroites qui sentent le poisson, le patchouli et le parfum de Prisunic. Je trouve enfin cette fameuse rue Paradis où des colombophiles s'offrent des concessions à bon marché. Je n'ai pas à arpenter beaucoup pour trouver la tombe du monsieur de la morgue. Une lanterne rouge éclaire une pancarte sur laquelle est écrit : « Attention au chantier ! »

Tu parles qu'il faut y faire attention à ce chantier-là ! La voirie a le sens de l'humour. Je connais un contribuable qui aurait eu de bonnes raisons pour s'inquiéter de l'écriteau il y a huit mois. Peut-être que ça lui aurait donné à réfléchir, et qu'il ne serait pas en ce moment en train de s'expliquer avec saint Pierre. Mais enfin, c'est la destinée. Et j'ai pas à crâner, parce qu'il se pourrait qu'un jour on retrouve aussi ma carcasse dans un tout-à-l'égout...

Levius fit patientia quidquid corrigere est nefas, comme disait un copain à moi qui connaissait par cœur les pages roses du Larousse.

Je me penche au-dessus du trou. Il y a de la flotte au fond et j'aperçois un énorme tuyau. Je sors ma lampe électrique pour inspecter la fosse ; mais le chef de la police a dit vrai : à part le défunt, elle ne contenait rien d'autre et les recherches ont été sérieuses ; j'en suis persuadé, car j'aperçois un tamis.

Bon ! Je resterais là jusqu'à ce que les quatre grands se soient mis d'accord, que je n'en apprendrais pas davantage.

J'éteins ma lampe et je regarde autour de moi. Les magasins sont fermés et on ne voit personne dans la rue...

En remontant un peu, sur la droite, je découvre un bar dont l'enseigne tremblote comme de la gelée de groseilles. Je peux toujours y entrer pour déguster une fine à l'eau. Qu'est-ce que je risque ?

Je pousse la porte, je vois illico que c'est le genre boîte de nuit. La salle capitonnée est décorée de trucs exotiques. Près de l'entrée, il y a un bar en forme de proue, avec des tabourets rupins. Au fond, j'aperçois une minuscule piste de danse, à l'extrémité de laquelle, juchés sur une estrade représentant une pagode, des musiciens essayent de jouer un truc trépidant.

Des couples boivent du champagne. D'autres dansent. Tout le monde a l'air de se faire tartir consciencieusement. Je me juche sur un tabouret, je pose mon chapeau sur le comptoir et je fais signe au barman — c'est un Chinois.

— Sers-moi une double fine dans un grand verre, et si tu te rencontres nez à nez avec un siphon, tu balanceras quelques gouttes d'eau de seltz dans le verre.

Il s'empresse. Comme j'aime mieux introduire mon nez dans un verre à dégustation que dans un masque à gaz, je plonge le mien dans la fine. C'est de la véritable. Je me sens tout à coup de la tendresse pour mes semblables.

— Ecoute, dis-je au bonze à veste blanche, laisse

tomber tes flacons un instant et amène ce qui te sert
d'oreilles.

Car, il faut bien que je vous l'avoue, il m'est venu une
idée. Je me suis dit que l'enterrement du mort n'a pas dû
avoir lieu au début de la nuit, mais plutôt sur la fin
because le risque de rencontrer des noctambules. Or, dans
cette rue, qui est-ce qui a une chance de jeter un coup
d'œil à trois ou quatre heures du matin, sinon les gens du
cabaret : employés ou clients ?

Hein ! Qu'en dites-vous ? Avouez que ça n'est pas mal
emballé comme raisonnement.

Le Chinetoque me regarde de biais. Il ressemble à un
vieux matou de salon.

Je l'attaque aussitôt.

— Dis donc, mon bijou, imagine-toi qu'il y a dans ma
poche un billet de la Banque de France qui aimerait
voyager. Ça te ferait plaisir qu'il traverse le comptoir ?

Son visage ne change pas d'expression. C'est à peine si
ses yeux deviennent un peu plus mornes.

— Eh bien, réponds !

Il a un sourire crispant auquel je voudrais pouvoir
mettre le feu.

— De quoi s'agit-il ? se décide-t-il enfin.

Je rigole doucement, à cause de sa question qui me fait
songer au maréchal Foch. Je lui mets mon insigne sous le
nez.

— Tiens, mon chéri, je lui murmure.

C'est raté. Ce croquant-là n'est pas plus ému par mon
insigne que par un presse-citron. Il ne sourcille pas et ça
me met en rogne.

— Ecoute bien, trésor. Tu dois être au courant de la
découverte que les égoutiers ont faite hier matin en
réparant la conduite de flotte ?

Il fait oui d'un mouvement de tête. Je continue.

— Figure-toi que mon petit doigt m'a dit que tu
pourrais me rencarder sur cette histoire-là.

Le plus drôle, c'est que je ne sais pas ce qui me pousse à
dire ça... L'intuition sans doute. Vous pensez bien que je

ne suis pas Sherlock Holmes ; si je veux découvrir un jour
la vérité sur le décès du type et sur son étui de message, il
me faut du toupet, à défaut d'indices. Est-ce une illusion ?
Cette fois, il me semble que le Chinois a tiqué légèrement.

— Alors ?

— Je regrette, mais je ne sais rien. Rien de rien. Parole
d'honneur.

— Moule-moi avec ton honneur, et parle un peu.

— Mais je ne sais rien ! dit-il précipitamment.

Ce garçon, malgré sa race, doit être assez émotif. Si
seulement je possédais un argument à lui servir, il se
laisserait peut-être glisser...

Je me décide à tenter quelque chose.

— C'est bon, montre-moi tes papiers.

Il s'appelle Su-Chang, et il habite rue Saint-Ferréol.
Sans insister, je prends deux jetons à la caisse, et je
descends au sous-sol où se trouve la cabine téléphonique.

Je compose le numéro de la Sûreté.

— Passez-moi le commissaire Favelli, dis-je sèche-
ment.

On me répond que le commissaire est chez lui, mais
qu'il y a encore dans son bureau son second : l'inspecteur
Baudron.

Je dis que je m'en contenterai et le standardiste me le
sert sur un plateau.

— Allô, Baudron ? Ici commissaire San Antonio.

Au Baudron ça lui fait l'effet du tonnerre. Sa voix se
transforme en miel ; il a les inflexions de l'ange qui disait à
Jeanne d'Arc de mouler ses moutons et d'aller se bigorner
avec les Anglais. Il me dit que son chef l'a mis au courant
de ma mission et que c'est précisément à cause de moi
qu'il passe la nuit à la grande maison.

— Très bien, approuvé-je, vous allez courir aux sommiers et regarder si vous ne trouvez pas quelque chose au
sujet d'un Chinois nommé Su-Chang, qui est barman et
qui crèche rue Saint-Ferréol. Faites-vite, je vous rappelle
dans dix minutes...

En attendant le moment d'utiliser mon second jeton, je

me fais les ongles tout en réfléchissant. Peut-être que cette piste ne me mènera nulle part. Mais il faut ne rien négliger... Puis, je m'allume une cigarette et je m'intéresse à la grosse aiguille de ma montre.

Dix minutes plus tard, je décroche à nouveau et Baudron tout essoufflé m'apprend que mon Chinois a tiré six mois de ballon, il y a quelques années, pour trafic de stupéfiants. Ces paroles me semblent aussi suaves que la *Parade pour une infante défunte* de Maurice Ravel. J'affirme à Baudron qu'il est le type le plus sensationnel de Marseille et que s'il connaît un coin où le pastis n'est pas trop moche, je lui en offrirai une caisse avec robinet demain.

Et maintenant, croyez-vous que j'aie le nez creux?

CHAPITRE V

LA MÔME JULIA

Je remonte au bar et, oh pardon ! J'en prends plein les yeux. Assise au comptoir, il y a maintenant une gamine, façon déesse, qui me détraque l'oreillette droite, rien qu'à cause de sa mise en plis. Au début de ce récit, je me suis permis quelques considérations sur les femmes ; je vous ai expliqué qu'au cours de ma carrière, j'en avais connu quelques-unes, mais, croyez-moi, des filles comme celle-ci, j'ai eu beau me lever matin, je n'en ai jamais vu. Si un magazine flanquait sa photo en bikini à la une, le gouvernement serait obligé de rappeler trois classes pour établir un service d'ordre devant les marchands de journaux, tant il y aurait d'amateurs.

Elle est blonde comme un champ de blé et ses cheveux lui coulent sur les épaules. Elle a des yeux verts frangés de longs cils et la couleur de sa peau me coupe la respiration. Sérieusement, à côté d'elle, Rita Hayworth est tout juste bonne à rempailler des chaises. Cette Joconde porte une robe du soir en velours noir, et elle boit un gin-fizz...

Je regrette que les exigences de mon métier ne me permettent pas de tenter l'abordage de cette sirène. Je commande une fine en me disant que si j'étais en tête à tête avec elle, je n'essayerais pas de lui enseigner la trigonométrie. Vous saisissez bien ?

L'alcool me donne un coup de fouet. Aussitôt je réagis et je réattrape le Chinois.

Je l'attire au bout du bar.

— Maintenant, lui dis-je, nous allons discuter sérieusement. Ecoute, beau masque, je viens d'apprendre que tu
t'es tapé six mois de mitard avant guerre pour une histoire
de drogue. C'est exact, hein?

Il bat les paupières, on dirait qu'il fait du morse.

Je poursuis :

— D'ac, alors voici ce que je te propose : tu me
chuchotes ce que tu sais au sujet de l'affaire en question et
tu palpes le billet dont je t'ai parlé. Ou bien tu la boucles
et je te fiche en cabane. Ne t'inquiète pas pour le motif,
j'en trouverai un. Au besoin, si je le veux, on dénichera
suffisamment d'opium chez toi pour que le juge le plus
débonnaire t'envoie en tôle jusqu'à ce qu'il te pousse des
champignons sous les pieds.

Je constate que mon barman est convenablement
ébranlé. Il balbutie des mots incohérents et jette des
regards affolés par-dessus mon épaule. Vraisemblable-
ment, c'est un petit bonhomme qui craint la pluie.

— Tout à l'heure, dit-il, attendez-moi au coin de la
rue. Je quitte mon service à une heure. Si je peux vous
être utile...

Je m'exclame :

— Et comment que tu le peux! Entendu pour le coin
de la rue. Et tâche pas de me jouer un tour de Chinois, si
tu ne veux pas que je t'administre une correction tellement sévère que tes arrière-petits-enfants eux-mêmes ne
pourront pas encore s'asseoir. Du reste, je ne bouge pas
d'ici avant la fermeture.

Ayant dit, je siffle mon glass. Cette fois je commande
un armagnac afin de varier les plaisirs. Et je ne suis pas
plus déçu par l'armagnac que par la fine Martel. Cette
boîte est peut-être pourrie de repris de justice, mais elle
soigne sa cave. Surtout n'allez pas croire que les alcools
que je distille risquent de me faire virer le dôme, parce
que vous auriez tort. Si vous vouliez m'offrir une biture,
vous pourriez aller retirer toutes vos économies à la Caisse
d'Epargne, et vous faire plongeur dans un restaurant
pendant trente-quatre ans pour finir de régler la note.

Je pense qu'il n'est pas minuit et que j'ai encore deux heures à m'expédier des petits verres dans le portrait, si je ne veux pas perdre de vue mon zigoto. Alors, histoire de tuer le temps, je fais pirouetter mon tabouret du côté de la belle môme qui est là.

J'attaque en essayant mon sourire à la Clark Gable.

— Vous avez l'air de broyer du noir, ma jolie!

— Oh! ça va, fait-elle d'un ton rogue, moulez-moi.

La moutarde me monte au nez. Je pense à une gosseline que j'ai connue autrefois à Venise. Elle avait essayé de me traiter comme le dernier des cireurs de bottes, mais ça ne lui avait pas porté chance, parce que San-Antonio n'a pas bon caractère lorsqu'on l'énerve.

Je souris en pensant à cette histoire. La belle blonde m'examine et me demande d'un ton mauvais si, par hasard, je ne me moque pas d'elle. Pour la distraire, je lui raconte les trucs malsains qui sont arrivés à la Vénitienne. Elle ne trouve pas l'allusion à sa convenance et se met en rogne.

Voilà qu'à cet instant un grand type qui discutait à une table voisine, s'approche, attiré par les éclats de voix.

Il est en smoking et sa tête ne me revient pas. Je crois même qu'elle ne reviendrait qu'à Deibler, si Deibler était encore là.

— Qu'est-ce qui se passe? demande-t-il.

Il se tourne vers moi.

— C'est toi qui embêtes Julia?

Je vide mon verre et j'écarte mon feutre sur le comptoir.

— Ecoute, macaque, que je lui rétorque, on n'a pas gardé les cochons ensemble pour te permettre de me tutoyer. Et comme t'as un blair qui a été loupé à la fabrication, je peux, si tu insistes, réparer cette malfaçon en trois coups de cuiller à pot.

Il hausse les épaules et n'insiste pas. Je ricane et m'adresse à la princesse blonde.

— Si c'est tout ce que tu as comme garde du corps

quand tu vas dans le monde, tu n'as plus qu'à rentrer aux petites sœurs des pauvres, ma mignonne.

D'un coup d'œil, je m'aperçois que j'ai réussi mon petit effet. Les femmes sont comme ça ; pourvu que vous ayez les biceps et que vous sachiez river son clou à une pauvre gonfle comme ce marlou, elles commencent à vous regarder d'un air chaviré.

— Vous êtes un drôle d'homme, dit-elle.

Je souris finement.

— Tu t'imagines pas ce que tu peux avoir raison. Des types comme moi on n'en fait plus parce qu'ils reviennent trop cher d'entretien, ma petite Julia.

— Tiens, vous savez mon nom ! s'exclama-t-elle.

— Et comment ! Ton petit pote me l'a appris. C'est la seule chose bien qu'il ait dite, du reste.

Elle rougit presque.

— Ça c'est gentil ! murmure-t-elle.

Je m'approche un peu plus d'elle et je joue ma grande scène du deux.

— On sait causer ! Alors, belle de nuit, qu'est-ce que je vous offre ?

Elle recommande un gin-fizz.

Je parcours sa géographie du regard et je murmure :

— Je sens qu'on peut faire des bêtises pour une fille...

Vous parlez si elle est flattée. Elle se tortille comme un type qui serait assis dans l'autobus en face de son percepteur. Et surtout n'allez pas penser que je m'emballe pour Julia. Le jour où une fille comme ça fera son baluchon et viendra s'installer dans mon petit cœur, vous pourrez être certains que les pyramides deviendront les succursales des Galeries Barbès.

Enfin, nous bavardons gentiment et nous nous trouvons faire une paire d'amis en dix minutes. Elle me raconte sa vie et je fais semblant de prendre sa salade pour argent comptant : elle me dit qu'elle est la fille d'un riche industriel de Nice mais qu'elle a des idées d'indépendance, et qu'étant donné, elle préfère habiter seule à Marseille plutôt que de broder des chemins de table chez ses ancêtres. On discute d'un peu tout. Moi, prudent, je la boucle au sujet de mon cadavre, mais je me lance à fond sur les tenanciers de cette boîte — laquelle s'appelle le *Colorado-Bar*.

J'apprends de la sorte que le faux-râleur qui a ramené sa grillotte tout à l'heure, c'est Batavia, un des associés du patron. J'enregistre le fait et je me dis qu'il faudra faire attention si je veux pas que ce grand délabré me farcisse à l'arsenic... Enfin la demoiselle descend de son tabouret.

— Vous partez déjà ?

— Oui, me dit-elle, d'un ton engageant. Cette atmosphère de boîte me porte sur les nerfs.

— Alors, pourquoi y venez-vous ?

Elle hausse les épaules.

— Peut-être que j'ai des insomnies...

Je la regarde langoureusement. Les regards langoureux sont mon triomphe. Si j'étais riche, je ne ferais que ça. Et ça rend à tous les coups. Ses longs cils battent comme des ailes de mouettes.

— Si vous me passiez votre adresse, peut-être pourrais-je aller vous porter un bouquet de mimosas un de ces quatre...

Cette tourterelle niche au Roucas-Blanc, près de la Corniche.

Elle est d'accord pour que je lui fasse une petite visite très bientôt.

Je l'accompagne jusqu'à la porte, et je la regarde partir. Elle se retourne à plusieurs reprises et m'adresse des petits signes. Ses cheveux lui font comme une auréole. Cette fille a quelque chose de céleste par instants, et je me sens devenir poète à toute allure.

Alors, pour réagir, je retourne m'administrer un grand armagnac.

CHAPITRE VI

DE DRÔLES DE FAÇONS...

Je rêvasse. Une fois de plus me voilà embarqué à bord d'une caravelle qui va naviguer Dieu sait où ! Quel métier ! Je n'ai que trente-huit ans et je connais plus de trucs que Mathusalem. Des belles gosses... Des crapules... Des coups de pétards... Ma vie en est remplie. Un jour, si je vous raconte tout ça, vos cheveux se mettront tout droits sur votre tête comme si on leur jouait la *Marseillaise* et, si vous êtes aussi chauve qu'une brioche, vous serez obligé de vous poser des compresses sur la coupole.

Tout en avalant mon alcool, j'observe les mouvements du bar. Je ne tarde pas à apercevoir le gars Batavia. Il est assis dans un renfoncement en compagnie de deux métèques carrés d'épaules qui ont des têtes de fiches anthropométriques. Ces trois caves discutent à voix basse, et il m'est avis qu'ils ne projettent pas d'organiser une kermesse au profit des enfants abandonnés.

Tout à coup, un garçon vient parler à l'oreille du Batavia ; celui-ci se lève et se dirige vers le téléphone qui se trouve derrière la caisse. Cette pauvre cloche se croit possesseur d'un appareil de télévision car il ne pipe pas mot, se contentant de secouer la tête affirmativement. Au bout d'un moment de ce manège, il raccroche et fait signe à ses petits copains de le rejoindre. Tous sortent par la porte du fond qui est à côté de l'office.

— Bonsoir !

Certainement, ce joli trio ne va pas pêcher l'écrevisse à la lanterne cette nuit.

Je regarde ma montre et je vois qu'il va être bientôt une heure. Je paye et dis deux mots à mon Su-Chang pour le cas où il aurait tendance à revenir sur sa décision.

Je lui allonge un bon pourboire afin de le mettre en confidence.

Je le regarde droit dans les yeux.

— Et maintenant, je vais t'attendre au coin de la rue. Manie-toi, car les nuits sont fraîches et je ne veux pas risquer d'attraper l'influenza.

La soirée est belle. C'est plein d'étoiles par là-haut et la lune se balade au-dessus de Marseille. On y voit comme en plein jour.

Je remonte le col de mon pardessus et je descends la rue endormie.

Parvenu à hauteur de la tranchée, je jette un coup d'œil à l'intérieur. J'imagine que l'inhumation a dû se faire à un moment comme celui-ci, où les braves gens rêvent, la tête dans les plumes, qu'ils ont gagné à la loterie nationale. Le cadavre ne devait pas être loin et le, ou les assassins, avaient repéré la tranchée. Probablement qu'ils manquaient de moyens de transport...

Je fais le poireau un petit quart d'heure devant un marchand de corsets. La rue n'est pas très éclairée et les machins de soie rose brillent délicatement dans la pénombre. Je ne sais pas pourquoi je pense à Julia. C'est une pépée qu'on aurait du plaisir à trouver dans son sabot de Noël. Elle a un je ne sais quoi dans les yeux qui vous va droit au cœur et vous met les jambes en coton. Si je la revois, il faudra que je lui récite du Géraldy.

A peine ai-je pris cette décision, que je vois rappliquer mon Chinois.

Jusque-là, il a l'air assez réglo, le collègue... On verra bien par la suite. Je sens qu'il sait quelque chose, au sujet du cadavre de la rue, et je sais aussi qu'il va me dire ce dont il retourne. Je suis prêt à lui faire le grand jeu pour le décider à me choisir comme confident. C'est mon seul espoir.

Dès qu'il parvient à ma hauteur, je le chauffe.

— Alors, maintenant, tu vas ouvrir ta boîte à musique, mon joli, et me réciter ton poème.

— Pas là, chuchote-t-il, pas là !

Il semble inquiet. Mais je me méfie ; ce frère-la-jaunisse essayerait-il de me tendre un piège ? Je décide de m'en assurer illico. Et je questionne innocemment :

— Où veux-tu que nous allions ?

Il hausse ses épaules de bouteille Saint-Galmier.

— Où vous voudrez !

— A mon hôtel ?

— Si vous voulez.

Bon, ça boume. Il est correct. Nous marchons en silence.

Soudain, j'entends le ronflement d'une voiture. Au bruit des freins je comprends qu'elle va tourner. Elle tourne. J'ai juste le temps de m'apercevoir que ses phares sont éteints. Chez moi l'instinct commande avant le cerveau ; je pique un plongeon sur le trottoir et je ne bouge plus. Une seconde plus tard, je m'aperçois que j'ai eu une riche idée. Un enfant de salaud sort une sulfateuse par la portière et nous joue un air de mandoline. Les balles pleuvent au-dessus de moi et font dégringoler des devantures. Et puis l'auto disparaît à fond de train. J'entends hurler un peu partout ; des fenêtres s'ouvrent... Je comprends que dans un instant tout ce quartier va crouler sur moi et m'accabler de questions. Je connais les Marseillais. Je me penche sur Su-Chang ; le pauvre Confucius est aussi mort qu'une escalope panée. Il a pris des dragées dans le ventre et il est tout perforé comme un ticket-matière.

Décidément cette rue est malsaine. J'hésite à fouiller le

gars, mais je me dis que la police va rappliquer et mettra ses fringues à l'abri.

Alors je décide de jouer au courant d'air et je m'évapore dans les petites rues.

CHAPITRE VII

QUI M'AIME ME SUIVE...

Je ne sais pas ce que vous pensez de tout ça, mais je peux vous dire pour ma part je me sens plus à mon aise. Vous croyez peut-être que parce qu'un type me distribue du plomb, mon moral baisse. Eh bien, vous vous gourez drôlement.

Des bonshommes qui sortent leur artillerie en m'apercevant, j'en ai rencontré des masses et comment que je les ai dressés !

Tout de même je suis content, parce que tout à l'heure je n'y voyais pas plus clair dans cette affaire qu'un aveugle qui chercherait un nègre dans un tunnel pendant le couvre-feu, et voilà que maintenant le jour pointe sous mon chapiteau.

Je vous prie de croire que mon cerveau fonctionne à plein rendement. Ah ! mes amis... Quelle turbine !

Je file à mon hôtel. Je grimpe dans ma chambre et je m'abats dans un fauteuil. A ce moment, je sens que mes reins sont mouillés et je m'informe : une balle a crevé le petit flask de vulnéraire que je trimbale dans ma poche-revolver en cas de besoin ; comme quoi il est parfois bon de ne pas appartenir à la ligue anti-alcoolique. Par association d'idées, je découvre qu'un coup de raide serait le bienvenu et je fais un sort à la bouteille de cognac que j'avais laissée sur la tablette du lavabo. Après quoi, je m'invite à réfléchir. Le *Colorado-Bar*, ou plutôt certains de ses familiers, en connaissent plus long sur l'histoire du cadavre enterré dans la rue que sur la géométrie dans l'espace.

La preuve, c'est qu'ils m'ont identifié d'emblée et qu'ils ne tiennent pas à ce que je continue d'utiliser ma carte d'alimentation. Leur petite séance d'arquebuse à répétition en est la meilleure preuve. Seulement, comme je me doute que ce n'est pas leur petit doigt qui les a affranchis sur mon compte, il faut convenir que quelqu'un a parlé. Ce quelqu'un ce n'est pas non plus le Chinois car le pauvre vieux vient de se faire transformer en passoire. Non, le barman était réglo malgré ses yeux de chat de luxe. Alors ? Alors, je me souviens que la môme Julia se trouvait accoudée au comptoir lorsque je suis revenu du téléphone… Et je me souviens aussi qu'après son départ du *Colorado,* cette engelure de Batavia a reçu une communication… Ça se tient… Je regarde ma montre, elle indique trois heures… Sûrement que les tueurs de l'auto croient m'avoir rayé des listes électorales. Ça ne serait peut-être pas tellement idiot de profiter de cette confusion… Félicie m'a toujours dit que les beignets aux pommes doivent se manger très chauds… Je descends au bureau de l'hôtel et je réveille le veilleur de nuit. C'est un vieux croquant. Je fais tellement de raffut qu'il croit qu'on va flanquer le feu à la gare Saint-Charles. Comme il s'apprête à rouspéter, je lui file cent balles et je lui demande où se trouve le téléphone. Je m'aperçois que c'est un zèbre qui a de l'éducation. Il empoche mon fric et me conduit dans un petit salon où se trouve l'appareil de mes rêves. Je bondis dessus et je sonne la Préfecture. C'est Baudron qui me répond. Quel brave type ! Je lui raconte en deux mots le coup de la mitraillade et je lui dis de me mettre le corps du Chinois au frais. Il me répond qu'il s'en charge.

— Ça colle, dis-je, maintenant, mon petit, dès que vous aurez passé vos instructions, rappliquez dare-dare à mon hôtel en voiture, en compagnie de deux ou trois costauds. Lorsque je sortirai, suivez-moi à distance, mine de rien. Quand j'entrerai quelque part, planquez-vous et

attendez-moi vingt minutes, au bout de ce temps, si je n'ai
pas reparu, faites donner le dernier carré.

Décidément, ce Baudron c'est pas un idiot. Il me dit
qu'il a tout saisi et je me sens tranquille comme Baptiste.

Maintenant, la nuit est noire comme une bonbonne
d'encre de Chine. Je sors de l'hôtel et je hèle un taxi. Le
chauffeur me dit qu'il ne peut pas me conduire au Roucas-
Blanc, because il rentre se coucher. Mais ce sont des
balivernes, je brandis une liasse de biffetons et il se
déclare prêt à m'emmener jusqu'aux Indes.

En un quart d'heure, nous arrivons devant la crèche de
la môme Julia. C'est une petite villa à tyrolienne jaune. Je
dis au conducteur de m'attendre et je regarde derrière
moi. Je vois une paire de phares qui s'éteignent à
cinquante mètres ; c'est bon signe. Baudron est là avec ses
forts des Halles. J'escalade la grille et je saute dans un
massif de bégonias à moins que ce ne soit des glaïeuls.
Heureusement pour mon pantalon, il n'y a pas de clebs
méchants dans le secteur. En toute tranquillité, je me
dirige vers la porte d'entrée.

Après une seconde de réflexion, je sonne ; ceci fait, je
cours me planquer à l'ombre d'un petit hangar par mesure
de prudence, et, là, quelle n'est pas ma surprise d'entendre
roucouler des pigeons. Décidément je suis sur la bonne
piste. Je sors mon 7,65 à crosse de nacre de ma poche et
j'attends...

Quelques minutes se passent, enfin une lumière s'allume et la porte s'ouvre. Dans l'encadrement, je découvre
Julia en robe de chambre. Mince alors ! Vous parlez d'une
vision ! Ses cheveux dénoués ruissellent sur ses épaules.
On dirait une sainte de vitrail.

— Qui est là ? demande-t-elle d'une petite voix mal
assurée.

Alors je prends mon arquebuse à pleine main et je
m'avance dans la lumière.

Je ricane :

— C'est le petit San-Antonio, ma jolie ! Tony pour les dames, qui chasse le ver luisant et vient en passant vous faire un brin de causette.

Elle semble quelque peu surprise, mais elle se ressaisit rapidement.

— Mince alors ! s'écrie-t-elle. Qu'est-ce qui vous prend de venir jouer la *Marche turque* sur ma sonnette à deux heures du matin ?

Je lui montre mon pétard en guise de réponse. Elle pousse un petit cri.

— Ne vous émotionnez pas, lui dis-je. Je viens simplement prendre des nouvelles de c't'enfant de carne de Batavia.

— Batavia ?

Son étonnement a l'air sincère. Néanmoins il me met en rogne.

— Oh ! ça va, pas de musique ! Dites-moi où je peux le trouver.

— Eh bien, chez lui, répond-elle. Il habite sur la Corniche.

— Ça se peut. Mais dites-moi, pourquoi vous élevez des pigeons ?

Là, elle semble émotionnée.

— Des pigeons ?

Je m'approche d'elle et je lui file une paire de tartes.

— Bonté ! s'écrie-t-elle.

C'est pas la première fois qu'une môme essaye de me la faire à la femme outragée, aussi en guise de réponse, je souris un tantinet. Brusquement je tire mon insigne.

— Ma jolie ! lui dis-je, la rigolade touche à sa fin. Regarde un peu ça et mets-toi à table !

Elle semble paralysée. Elle balbutie :

— Mais, mais, qu'est-ce que tout cela veut dire ?

Je sors mon Colt et je tire trois fois en l'air.

En cinq secs, trois copains apparaissent.

Je demande Baudron. Aussitôt un petit gars s'avance.

— Commissaire San-Antonio ? murmure-t-il.

Je lui tends la main.

— Salut, Baudron! Heureux de vous connaître. Vous
allez embarquer cette beauté et ne pas la perdre de vue.
Compris?

Pendant qu'ils s'assurent de la personne de Julia, je
visite la baraque. Personne! Cette maison est aussi vide
que la conscience d'un percepteur. Alors je retourne au
hangar et j'aperçois un joli colombier. Un petit coup de
lampe électrique et je vois qu'il s'agit de pigeons voyageurs.

Cette fois je brûle et comment!

Baudron revient vers moi et me demande si j'ai encore
besoin de ses zèbres. J'hésite et je lui réponds qu'ils
peuvent aller faire une belote à la Sûreté, à condition
toutefois de tenir la môme Julia à l'œil. Il me fait un salut
militaire grand format, comme pour un ambassadeur, et
se trotte. Je réfléchis. Dois-je conserver mon taxi ou dois-
je lui dire d'aller voir sur le Vieux-Port si je n'ai pas perdu
mon briquet? J'opte pour la seconde solution. D'abord
parce que l'endroit où je me rends est proche, ensuite
parce que pour y aller j'ai pas besoin d'être précédé par
la musique de la garde républicaine. C'est bien votre
avis?

Si vous avez pour vingt sous de cervelle sous le capot,
vous devez comprendre que je ne vais pas faire brûler un
cierge à Notre-Dame de la Garde, mais que l'envie me
démange fortement de rendre visite à c't'enfant de zouave
de Batavia; car il m'est encore venu une idée, et
une chouette. Des idées, il m'en passe dans le caberlot
comme des trains dans une gare régulatrice un jour de
mobilisation générale. J'ai qu'à me baisser pour en
ramasser.

Me voilà sur la corniche, en train de repérer le terrier
du métèque, et je ne tarde pas à le découvrir. Si la gosse

Julia ne s'est pas payé ma cerise, ça doit être cette villa façon Médicis.

Il y a du feu derrière les contrevents, c'est bon signe. J'enjambe la balustrade et je vais frapper à la porte. Au bout d'un moment une voix demande :

— Qui est là ?

Je réponds que c'est Louis XIV qui vient de la part de Mademoiselle de la Vallière, voir si M. Batavia n'a pas besoin du palais de Versailles pour élever des condors.

Le type ricane et ouvre la porte. C'est une grosse brute qui ferait une belle carrière de tête de lard dans un jeu de massacre. Je crois l'avoir aperçu tout à l'heure au *Colorado*. En tout cas, lui me reconnaît. Il a un sale sourire.

— Qu'est-ce que vous venez ramener votre fraise à des heures pareilles ? demande-t-il.

Sans répondre, je fixe la suspension du hall avec intérêt. Machinalement, il lève la tête aussi. C'est le moment que je choisis pour lui faire goûter mon crochet du gauche favori. Il pousse un petit cri rigolo et se répand sur le carrelage. Je l'enjambe et je me dirige vers un petit salon d'où vient un bruit de conversation. Au moment où je vais entrer, j'entends la voix de Batavia qui crie à la cantonade :

— Qui est-ce, Tom ?

Je pousse la porte et je me montre, souriant.

De saisissement, Batavia laisse choir le cigare qu'il fumait.

— Salut, chéri, dis-je. Tu ne t'attendais pas à me voir debout, hein ? Que veux-tu, les balles de mitraillette, c'est mon aliment favori. Ramasse ton cigare ou le tapis va prendre feu.

Enfin, il réagit.

— Qu'est-ce qui vous prend ? dit-il d'un ton mal assuré. Et Tom ? ajoute-t-il en se penchant pour essayer de voir derrière moi.

Je m'avance dans la pièce.

— Il avait sommeil, dis-je. Il s'est endormi après que je lui aie administré une petite infusion de tilleul. Il se réveillera d'ici une heure ou deux, seulement il ne pourra pas manger de lentilles pendant un certain temps parce qu'il lui manquera quelques dents de devant.

Je regarde cette couvée de serpents ; ils sont trois : Batavia, un autre type du *Colorado* et un nègre aux cheveux lisses. J'ai idée que ce dernier doit se faire livrer la gomina par wagons. Je m'amuse follement de leur figure ahurie.

— Alors, mes amours ! leur dis-je, vous pensiez comme ça que j'allais me laisser canarder sans rien dire. Eh ben vrai, vous ne connaissez pas San-Antonio !

Batavia éclate de rire et regarde ses copains.

— Qu'est-ce qu'il tient comme malouse pour débloquer de cette façon, dit-il, vous l'entendez ?

La moutarde me monte au nez. Je sors mon arsenal et je tiens mes ouistitis en respect.

— Le premier qui lève le petit doigt, je le poinçonne comme un ticket de métro.

— Ça va, dit vivement Batavia. Te fâche pas, qu'est-ce qu'il y a pour ton service ?

Je hausse les épaules.

— Trêve de plaisanterie, mes agneaux. Vous allez vous mettre à table et me raconter l'histoire du zig qui s'est laissé enterrer dans la rue Paradis. Et puis, celui qui me parlera de la môme Julia et de ses pigeons aura une image, ça boume ?

Ils s'examinent. Je vois qu'ils sont un tantinet ébranlés. Je trépigne d'énervement.

— Bande de caves ! Vous ne croyiez pas m'avoir comme un enfant de chœur. Si vous ne connaissez pas San-Antonio, je vais vous raconter son curriculum vitae. Et ça vous donnera sûrement à réfléchir.

Je recommence à me cintrer. A ce moment, je reçois un gnon terrible derrière le bocal. Je pense à cette carne de Tom que j'ai dû mal estourbir et qui vient, sur la pointe des pieds, demander la communication avec ma moelle épinière. Tout d'un coup je ne me souviens plus si je m'appelle San-Antonio ou si on est Vendredi Saint. J'entends une curieuse musique d'orgues et les motifs du tapis viennent à ma rencontre, à fond de train. Puis c'est un noir brutal coupé d'étincelles d'or.

CHAPITRE VIII

A VOTRE SANTÉ

Quand je reviens à moi, je suis dans le salon.

Ma tête repose sur les pédales d'un piano et, entre mes cils, j'aperçois ces quatre salopards penchés sur moi.

Batavia m'administre des verres d'eau sur la figure. Moi qui n'aime pas la flotte, ça me contrarie. Je m'ébroue et j'éternue violemment.

— T'enrhume pas, fait-il, je vais te donner du « goménol », tu vas voir, mon joli. Allez, lève-toi ! Et ne tâte pas tes poches parce que ton soufflant n'y est plus.

Le mieux que je puisse faire c'est d'obéir. Je me lève tout en me maudissant pour n'avoir pas administré la forte dose à ce Tom de malheur.

On est toujours trop doux avec ces crapules-là !

Batavia me met un joli Lüger dans les côtes et m'intime l'ordre de sortir. Nous voilà devant la baraque. Le nègre se dirige vers un petit garage et sort une 402 noire. Je la reconnais ; c'est de ce toboggan que les crapules nous ont canardés, le Chinois et moi. J'ai pigé. Ils vont me balader une dernière fois, et puis ils vont m'adosser à la falaise et m'envoyer un peu de plomb dans les tripes. La chose est connue. Je me dis que c'est un peu toquard de finir comme ça et que Félicie va faire une drôle de tête en recevant un petit communiqué du chef.

Sûrement qu'ils me ficheront une médaille à titre

posthume, mais une médaille n'a jamais réveillé un mort et pour l'instant je m'en balance.

Ils me font grimper dans la bagnole. Le nègre conduit. Batavia s'assied à côté de lui. Tom et son collègue m'encadrent sur la banquette arrière. Chacun d'eux me tient par un bras. Inutile de jouer au petit soldat, la voiture tape le cent dix. Nous suivons la côte, et je m'aperçois que nous nous dirigeons vers un petit bled que j'ai connu autrefois. J'étais allé y manger une bouillabaisse avec une poupée tout ce qu'il y a de chouïa. Un vieux pêcheur nous avait indiqué le coin.

C'était le bon temps! Maintenant, on m'y emmène pour me buter...

La roue tourne, hein?

*
* *

Soudain, le nègre stoppe.

— Ça boume, fait Batavia. Le coin est pépère.

Ils me font descendre et je regarde la nuit mélancoliquement. Une rude nuit, moi je vous le dis, avec des étoiles en veux-tu en voilà et une lune pareille à celle qu'on voit sur le fanion des bataillons algériens. J'examine la géographie de la région. Nous sommes au sommet d'une sorte de falaise surplombant la mer.

Ils m'entraînent, à coups de pied, à l'extrémité de la falaise, je suis adossé à l'infini, les tifs au vent. Je dois ressembler à Chateaubriand sur son rocher, mais ces affreux-là se moquent du romantisme comme de leur premier fric-frac. Ils vont m'administrer une livre de plomb dans le buffet, après quoi ils me balanceront au bouillon. Alors, j'en ai gros sur la patate, n'est-ce pas?

Ça n'est pas le fait de mourir qui me turlupine — encore que ça ne m'emballe pas tellement.

Non, ce qui me met en crosse c'est de m'être laissé avoir par un Batavia à la flan. Si au moins je n'avais pas renvoyé Baudron! Je me rebelle! Je ne veux pas que ce soit dit de me faire descendre bêtement comme un sourd-muet qui aurait pas entendu les sommations de la sentinelle.

— Alors, dit Batavia, tu es plus calme, mon flic... Tu ne pensais pas donner à manger aux poissons ce soir, hein ? Ils vont se casser les dents sur ta sacrée carcasse de poulet, ces pauvres requins.

Il se tient les côtes. Il caracole devant moi. Ça me plaît. Les cabots sont plus faciles à avoir que les durs. Un vrai gangster ne perd pas son temps à vous raconter la vie de sa petite sœur avant de vous descendre. Il vous envoie un échantillon de son Lüger par-dessous la table ou dans les reins, et vous êtes mort avant d'avoir compris ce qui vous arrive. Je décide de jouer ma dernière partie, bien que je ne la juge pas fameuse.

— Bande de rigolos ! Alors vous croyez que San-Antonio se laisse fabriquer comme un collégien. Non mais, vous perdez la boussole, espèces de foies-blancs !

— De quoi ? fait Batavia, un peu inquiet.

— De quoi ? je lui réponds, eh bien, regarde donc derrière toi, pauvre cloche !

Tous se retournent, à l'exception du gros Tom qui connaît déjà le truc. Tant pis, je risque le paquet. Je prends mon élan et je pique une tête par-dessus la falaise. Le gros Tom vide son magasin de quincaillerie et je bloque une balle dans le gras du bras gauche. Maintenant reste à savoir si je vais tomber à la flotte ou sur les rochers. Tout mon corps est contracté par l'effroi de l'attente. La chute me paraît interminable. Et puis c'est un plongeon délicieux. Malgré que je n'aime pas l'eau, je boirais la Méditerranée tant est grande ma gratitude... Je me mets à nager sans bruit, en rasant les rochers afin d'éviter la pluie de balles qui crépite autour de moi ; car il pleut du plomb. Et, comme radée, ça se pose là...

J'entends la voix de Batavia qui hurle :

— Descendez au bord de la flotte ! Maniez-vous, il ne faut pas qu'il s'échappe, sans quoi nous sommes tous bons pour le poteau.

J'aborde sur une petite plage sableuse et je cours

silencieusement. Là-bas, c'est une vraie cavalcade. Les gens du métèque descendent jusqu'à la plage afin de chercher ma carcasse. C'est alors que ma belle étoile se met à briller formidablement, comme si l'ange de service venait de la fourbir au Miralex. Je déniche un bath petit sentier qui rejoint la route. Je l'escalade et je me trouve dans un fossé, à cent mètres de la bagnole. Aubaine inespérée.

Batavia est tout seul sur la falaise. Penché au-dessus du gouffre, il exhorte ses copains. Le bandit est loin de me croire derrière lui. Je m'approche en rampant. J'ai bougrement envie de lui envoyer une bourrade afin de me rendre compte s'il sait nager. Mais San-Antonio fait passer le service avant ses rancunes personnelles.

Je me dresse derrière Batavia. Le grondement des flots et ses hurlements couvrent le bruit de mes pas. Brusquement, je passe mon bras autour de son cou et je l'attire en arrière. Il perd l'équilibre et s'allonge sur le dos. La surprise lui a fait lâcher son soufflant. Alors je lui mets un de ces coups de talon dans l'estomac comme je ne vous souhaite pas d'en recevoir, même en rêve. Il a le souffle coupé net, il hoquette puis s'immobilise. Je le traîne jusqu'à l'auto. De mon bras valide, je le hisse dans la 402. Pour plus de sûreté, je lui passe les bracelets. Ceci fait, je m'installe au volant et je démarre sec en direction de Marseille.

On peut dire que je reviens de loin !

Quarante minutes plus tard, nous stoppons devant la Sûreté. J'ai dû perdre un demi-litre de sang, mais je me sens rudement joyeux et je n'échangerais pas ma place contre celle du mikado. J'ameute le poste de garde. Je dis qu'on mette Batavia sous clef et qu'on me conduise à l'infirmerie car je ne tiens pas à me saigner tout à fait ; et puis je demande à voir Baudron. Celui-ci rapplique au moment où le toubib extrait la balle de ma blessure. Il demande ce qui se passe et je lui raconte tout. Ce brave garçon en bave des ronds de chapeau. Il me prend pour le père Noël et ses yeux brillent comme du silex au soleil. Ça me réjouit le cœur. Un Marseillais qui s'épate à ce point, ça ne se voit pas toutes les années bissextiles. Lorsque mon pansement est achevé, nous allons prendre des nouvelles de Batavia. Le métèque est allongé sur une table, il est vert comme un sapin et n'a pas encore repris connaissance. Je réclame une bouteille de rhum ; un agent m'en sort une d'un placard et je m'en administre une bonne dose, après quoi, avec un coupe-papier, j'entrouvre les dents de ma victime et je fais couler un filet du précieux liquide dans sa bouche. Ça me fait mal aux seins de donner du nanan pareil à ce nez plat, mais faut ce qu'il faut, comme dit mon pote Bourvil. Au bout de quelques secondes, il ouvre les yeux et se met à geindre.

— Alors, chéri, lui dis-je, tu as compris à qui tu avais affaire ? Apprends une chose, mon gros loup, et retiens-la, bien qu'*a priori* ça ne puisse plus te servir à grand-chose ! On ne la fait pas à San-Antonio. Et maintenant, le mieux qu'il te reste à faire est de te mettre à table, si tu ne veux pas que j'emploie les grands moyens.

Il ne se le fait pas dire deux fois, je vous jure. Ce gars-là n'aime pas les complications et il prend le crachoir illico. Nous apprenons que le vrai propriétaire du *Colorado* est un nazi, du nom de Früger, camouflé depuis la libération, et qu'il collectionne des renseignements relatifs à la réorganisation de notre flotte, pour le compte d'une puissance étrangère. Il a, pour le servir, la bande de jolis cocos que vous connaissez déjà. Tous les messages sont transmis par pigeons au centre de Nice, dont Batavia ignore l'adresse. Précisément, il y a huit mois, l'un des membres de la bande s'était rencardé sur ce centre mystérieux. Früger l'apprit et lui fit perdre la mémoire en mettant de l'acide prussique dans son Martini vespéral. Puis le cadavre fut dévêtu et remisé dans un frigidaire en attendant la nuit. Malheureusement pour ces messieurs, il y eut une rafle ce soir-là, Batavia n'eut que le temps de flanquer le cadavre dans la tranchée de canalisation ouverte ce même jour par les ouvriers de la ville.

Comment se fait-il que le mort ait un étui à message dans la bouche ? Il n'en sait rien. Il faudra que j'éclaircisse cette histoire plus tard.

— Maintenant, dis-je à Batavia, parle-moi un peu de la môme Julia.

Il ouvre de grands yeux.

— C'est une habituée de la maison, dit-il, mais elle n'est pas mêlée à l'affaire.

Je hausse les épaules.

— Si elle n'y est pas mêlée, lui dis-je, comment expliques-tu que le colombier se trouve dans sa propriété ?

— Parce qu'elle habite en sous-location chez le patron, fait Batavia. Elle ne s'occupait pas des pigeons.

— Bon, alors, explique-moi comment tu as su qui j'étais et comment tu as su aussi que j'avais contacté le barman chinois ?

Il se met à rire.

— Non, mais des fois, fait-il, vous le croyez p't-être pas, mais j'ai l'œil à reconnaître les poulets, sauf vot' respect. Quand je vous ai vu en discussion avec Su-Chang, ça m'a défrisé, et lorsque vous êtes allé téléphoner en bas, j'ai intercepté votre communication grâce à un système d'écoute qui est possible avec l'appareil du haut. J'ai aussitôt prévenu le patron de ce qui se passait. Il m'a ordonné de suivre le Chinois et de vous descendre tous les deux si vous vous rencontriez.

— L'adresse du patron ?

Je lis de l'effroi dans son regard. Il se tait. Je réfléchis : peut-être vaut-il mieux de ne pas essayer de l'avoir au forcing. Ces naves-là, lorsqu'elles se butent, ne parlent pas plus qu'une côtelette de mouton. On va le laisser moisir quelque temps dans le noir, ce cher Batavia, ça ne lui fera pas de mal. Je fais signe aux gardes de l'emmener. Puis je donne le signalement de la collection de rascals que j'ai laissée au bord de la mer ; dans un quart d'heure, tous les flics du territoire vont être aux abois. Ils n'ont pas plus de chance de rester en liberté que moi de devenir sultan du Maroc.

Ces dispositions prises, je me fais conduire à la cellule de Julia. Ma blessure me rend bucolique, je ne sais pas ce que je lui raconte, mais au bout d'un instant, elle m'a tout pardonné ! Elle trouve même cette aventure pleine de piquant et elle a l'impression de vivre dans un film de la Metro, je parie qu'elle me prend pour Edward Robinson...

— Dites donc, amour, vous n'avez pas sommeil ? Il va être quatre heures... Nous avons eu une nuit agitée, il faut aller au dodo. Venez donc à mon hôtel, je vous ferai donner une chambre ravissante, le veilleur de nuit est un copain.

Elle me regarde de biais, en réprimant un sourire.

Du coup je ne sens plus ma blessure.

L'aube commence à poindre du côté du large.

DEUXIÈME PARTIE

DES VERTES
ET DES PAS MÛRES

CHAPITRE PREMIER

ÇA RECOMMENCE !

Ah ! mes enfants ! Vous parlez d'un roupillon... Je crois que si ma blessure ne m'avait pas fait des misères, j'aurais dormi jusqu'à ce qu'on ait transformé le pont transbordeur en épingles de nourrices. Lorsque je reprends conscience, avant même d'avoir ouvert les yeux, j'ai l'impression d'une présence dans ma chambre. Je tourne la tête, et qui est-ce que j'aperçois, assise dans un fauteuil ? Ma gosse blonde, Julia.

La mignonne s'est assoupie. Je regarde son corps abandonné dans le sommeil et je me sens tout chose. Sa poitrine se soulève régulièrement. Croyez-moi, cette petite a tout ce qu'il faut pour s'embaucher comme mannequin rue de la Paix. Il faudra que je lui en touche deux mots. Je suis tout attendri par ses cheveux blonds. Ne riez pas, mais je vous assure qu'elle a l'air d'un ange.

De se sentir examinée, ça la réveille. Elle bat des paupières à son tour et me sourit.

— Jour, gazouille-t-elle.

— Bonjour, ma chère fée, pouvez-vous me dire ce que vous fabriquez dans ce fauteuil au lieu d'être dans votre chambre ?

— C'est à cause de votre blessure...

— Quoi, ma blessure ?

— Vous savez que j'ai la chambre voisine de la vôtre. Vers cinq heures, j'ai cru vous entendre gémir et je suis venue. Vous rêviez seulement. La fièvre sans doute. J'ai remarqué que votre blessure saignait beaucoup, alors je suis allée à la pharmacie de nuit d'à côté pour acheter de la gaze.

Je regarde mon bras, et je vois qu'en effet, il est aussi volumineux qu'un traversin. Julia, sans que je m'en rende compte, a entortillé de la gaze autour.

Tout est O.K. Le pansement a fait tampon.

Un élan de gratitude me chatouille l'aorte.

— Vous êtes une fille épatante, Julia !

Elle hausse les épaules.

— Ça va, commissaire, ne parlons plus de ça.

— Ne m'appelez pas commissaire !

— Vous préférez San-Antonio ?

Je ne réponds rien, je la regarde, et c'est un spectacle aussi saisissant que le Mont Blanc !

J'allonge mon bras valide en direction du fauteuil, en priant les Dieux qu'il soit assez long pour attraper celui de Julia. Les Dieux m'exaucent. Je saisis une manche à l'intérieur de laquelle se trouve le plus beau bras du monde. Je le tire à moi, le reste suit.

Je ne sais comment la chose se produit, mais en moins de temps qu'il n'en faut pour dire bonjour à sa belle-mère, je sens deux lèvres tièdes sur les miennes.

Je vous le répète : des gosselines, j'en ai connu des paquets, et si toutes celles à qui j'ai fait le grand jeu venaient se faire offrir l'apéritif, il faudrait mobiliser tous les garçons de café de Paris pour les servir ; mais pour celle-ci, c'est différent. Je reçois la grande secousse et je comprends enfin ce que c'est que le coup de foudre.

Nous échangeons quelques phrases immortelles, après quoi le bon sens reprend le dessus et nous décidons d'aller déjeuner dans un des salons de l'hôtel. Je réclame du café bien noir avec des toasts et un jus d'orange. Croyez-moi, buvez des jus d'oranges à jeun si vous voulez conserver l'estomac à la hauteur de votre cerveau. Car vous n'ignorez pas que tout se tient dans cette fichue machine à deux pattes qu'on appelle l'individu.

Exemple, voyez le cas d'un pauvre diable qui souffre de

l'estomac. Il fait une tête épouvantable, il est triste, amer, méchant, il ne s'intéresse à rien d'autre qu'à son mal. Il est tout juste bon à faire un croque-mort. Pour mener la vie qui est la mienne, il faut éviter ces troubles idiots qui ont cependant leur importance.

Nous sommes dans une petite pièce discrète et nous faisons la dînette. Je suis joyeux comme un gosse, tout me ravit : les grandes tasses bleues, le papier jaune de la tapisserie, les bas pain-brûlé de Julia.

Ce café est extra. Le gérant de l'hôtel doit s'approvisionner directement au Brésil.

Tout en mangeant et en débitant des madrigaux, je réfléchis. C'est une vieille habitude chez moi. Quelles que soient les circonstances, il ne faut jamais s'écarter de son sujet. Le mien c'est le *Colorado Bar* et son propriétaire. Tant que le mystérieux Früger sera en liberté, je ne me sentirai pas l'âme en paix.

— Qu'avez-vous donc, cher ? Vous semblez rêveur, remarque Julia.

— C'est l'amour, lui dis-je effrontément.

Elle fronce les sourcils.

— Ne vous moquez pas de moi.

Je vais pour protester de ma bonne foi, mais à cet instant le larbin vient m'annoncer que quelqu'un me demande au téléphone. Je m'excuse et emboîte le pas au garçon d'étage.

Je saisis l'écouteur qui pend au bout de son fil.

— Allô !

— San-Antonio ?

— Tout juste.

— Ici, le chef de la Sûreté. Comment va votre blessure ?

— Elle va.

— Félicitations pour votre célérité. Vous avez bien travaillé.

Ici, je toussote modestement.

Le chef tartine encore pendant quelques minutes sur mes mérites. Comme ce n'est pas la première fois que je m'entends déclarer que je suis un type pas comme les autres, je me fais les ongles pendant ce temps.

— Pouvez-vous rappliquer immédiatement ?

— Chez vous, chef ?

— Oui, à mon bureau, il vient de se passer quelque chose. Je ne peux rien vous dire par téléphone. Je crois que vous n'en avez pas encore terminé avec cette affaire.

Je fais une grimace irrespectueuse à la passoire d'ébonite.

— Très bien, chef. Le temps d'achever mon café !

Allons bon... Toujours des complications surgissent au moment où l'on aimerait se laisser vivre, le ventre au soleil.

Je rejoins Julia.

— Ça ne va pas ? me demande-t-elle.

— Pas bien, non. Il faut que je coure à la Sûreté.

— Du nouveau ?

— Sans doute, je n'ai pas de précisions.

— Devant sa mine dépitée je ne peux m'empêcher d'éclater de rire.

— Je n'en ai pas pour longtemps. Je vais vous envoyer chercher le dernier bouquin de Max du Veuzit, vous m'attendrez ici, bien gentiment. A midi, nous irons casser une petite croûte par là à travers et nous causerons...

— Exception faite pour le bouquin, je vous obéis, répond-elle. J'ai horreur de la littérature pour jeunes filles lymphatiques.

Je me penche sur elle et je lui offre un baiser grand format. Elle me rend honnêtement la monnaie.

Nous sommes quittes.

CHAPITRE II

CHANGEMENT DE DÉCORS

Le chef a une mine curieuse qui exprime à la fois le souci et la cordialité. Comme la veille, il me désigne son fauteuil pour mammouth adulte et il s'accoude à son bureau.

— Maintenant, racontez-moi vos aventures de cette nuit.

— Baudron ne vous a pas fait son rapport ?

Il esquisse un geste impatient.

— Baudron ! Baudron ! Que voulez-vous qu'il me raconte... Vous avez mené cette affaire tout seul !

J'allume une cigarette.

— Dans ces conditions, monsieur le directeur, je vais commencer par le commencement.

Très succinctement, je lui relate mes faits et gestes depuis que je suis sorti de son cabinet hier matin. Il se marre lorsque je fais allusion aux cognacs que je me suis expédiés ; fronce les sourcils et m'examine curieusement quand je lui raconte la mitraillade et tressaille d'aise au moment où je retrace mon plongeon de la falaise.

— Extraordinaire, murmure-t-il, vous êtes un homme de légende. Vous feriez la fortune d'un romancier populaire.

— Peut-être bien que j'écrirai tout ça un jour.

— Je vous le conseille, et l'éditeur qui vous signera un contrat ne s'embêtera pas. Maintenant, à mon tour de prendre la parole. Savez-vous ce qui est arrivé à Batavia ?

— Il lui est arrivé quelque chose ?

— Ce matin, pendant qu'on le transférait à la prison, il a été abattu d'une rafale de mitraillette. Ça s'est passé au moment où on le faisait descendre du panier à salade. Une traction noire est arrivée en trombe et a ralenti. Un type au visage dissimulé par un foulard a sorti son outil par la portière. Il a tiré en l'air pour faire comprendre aux gardiens qu'ils devaient se planquer et il a fichu seize balles dans la carcasse de Batavia. Un as !

Je pousse un sifflement admiratif.

— Alors, questionne mon interlocuteur, que pensez-vous de cela ?

— Ce que vous en pensez vous-même. Le réseau d'espionnage paraît bien organisé. Et le type qui le dirige n'est pas un des petits chanteurs à la Croix de Bois. Il est déjà au courant de l'algarade de la nuit et, sachant Batavia entre nos mains, il a jugé plus prudent de le supprimer.

— Comme je vous l'ai déclaré au fil : votre travail continue. Maintenant la piste est décelée, il faut lever le lièvre, mon cher San-Antonio.

— Avez-vous des nouvelles des complices ?

— Aucune. Malgré toutes les dispositions que nous avons prises, ils n'ont pu être appréhendés.

Je me lève d'un bond.

— Renforcez les barrages ! Faites perquisitionner dans les hôtels, dans les bars... Doublez les guetteurs aux environs du *Colorado* et de la villa de Batavia. Mettez Marseille en état de siège si vous voulez, mais attrapez-moi un des types. Je ne vous en demande qu'un, c'est très important.

— Evidemment, mais puis-je vous demander si vous attachez à ces captures un intérêt particulier ?

— Tout ce qu'il y a de particulier.

— Le fond de votre pensée ?

J'ai un mouvement agacé dont le directeur ne s'offusque pas trop.

— Elle n'a pas de fond. Je vous expliquerai mon plan en temps utile.

Il se frotte les joues.

— Ah! parce que vous avez un plan?

— Et comment!

— Eh bien, bonne chance!

Je quitte la Sûreté et me rends au bar-tabac le plus proche. Là, je choisis une belle vue de la mer et je l'envoie à Félicie avec quelques mots gentils dessus. Ensuite de quoi, je rédige un rapport très bref à l'intention de mes chefs de Paris.

Je vais poster tout ça et je regagne mon hôtel.

Je trouve la môme Julia derrière un hebdomadaire. Elle me dit qu'elle vient de lire que Jean Marais va peut-être se marier. Et moi je ne me gêne pas pour lui avouer que cette nouvelle me laisse aussi froid qu'une couleuvre qui serait enfermée dans un frigidaire depuis l'armistice.

— Bon, déclare-t-elle. Je vois que vous n'êtes pas mondain. Pourquoi, darling, avez-vous ce regard de renard naturalisé?

En deux mots, je lui apprends le décès mouvementé de Batavia. Elle semble médusée.

— Est-ce croyable! murmure-t-elle en secouant ses boucles blondes... Dans quel guêpier avais-je porté mes pieds?

Je la questionne sur ses relations avec la bande.

— Oh! Relations est un gros mot! A mon arrivée à Marseille, une amie m'a emmenée au *Colorado* et m'a présentée à Batavia. Celui-ci a été très gentil.

Je fronce les sourcils.

— Allons, gros méchant loup, sourit-elle, ne faites pas cette tête. Je vous jure qu'il s'agissait d'un simple ami. Quelques cocktails, quelques tangos... Des blagues à la graisse d'oie... c'est tout. Quand il a su que je cherchais un appartement en sous-location, il m'a dit qu'il avait mon affaire car, justement, un ami à lui séjournant à l'étranger lui avait demandé de sous-louer sa villa pendant son absence, afin d'éviter qu'elle soit réquisitionnée...

— Je saisis, lui dis-je, c'était plus prudent à cause des pigeons.

— Les pigeons?

— Vous ne savez pas, peut-être pas, qu'il y a un colombier dans la propriété que vous habitez?

— Si!

— Et vous ignorez qu'il s'agit de pigeons voyageurs?

Elle ouvre la bouche tant son étonnement est vaste.

— Des pigeons voyageurs! s'exclame-t-elle.

— Yes, darling? Et qui est-ce qui s'en occupait?

— Le jardinier. Vous le savez, j'étais en sous-location provisoire, je ne m'occupais pas de l'entretien de la baraque.

Je lui demande l'adresse du jardinier et je note celle-ci sur mon agenda de poche en me promettant d'aller demander des conseils au bonhomme en ce qui concerne le repiquage des épinards.

J'attrape Julia par un bras et je l'entraîne jusqu'au restaurant le plus proche où je nous commande des steaks aussi larges que le postérieur d'une couturière.

Ma compagne se met à manger d'aussi bon appétit que moi. Comme mon bras me fait un peu souffrir, c'est elle qui découpe ma viande. Pour un peu elle me donnerait la becquée. Je lui souris, mais tout en lui souriant et tout en dégustant mon steak je pense à elle, ou plutôt à nous.

Je me dis que les choses ont changé d'aspect. Tant que je croyais l'affaire terminée, je pouvais m'offrir une escapade avec une poulette. D'autant que j'estimais ce genre de divertissement mérité; mais maintenant, il y a fausse donne. L'enquête continue et, dans ce genre d'exercice, la belle Julia m'est à peu près aussi utile qu'un motoculteur. Il s'agit de lui expliquer la chose avec tact. Pour le tact, on peut se fier à moi. J'y vais de ma petite romance. Heureusement, cette gamine a plus de jugeote que tout un Conseil d'Etat; elle se rend à mon raisonnement sans discussion.

— Oui, murmure-t-elle, tristement. Je comprends bien qu'une femme ne puisse partager les occupations d'un garçon comme vous. Je serais un poids mort pour vous, en restant ici. Je vais retourner quelque temps à Nice, chez mes parents. Si vous avez envie de me voir, vous n'aurez qu'un geste à faire.

Je saute sur sa décision à pieds joints.

Pour la récompenser, je me penche en avant, par-dessus la table. Comme elle n'est pas paresseuse, elle se penche aussi, si bien que nous nous rencontrons juste à l'endroit qu'il faut.

CHAPITRE III

EN CHASSE

L'après-midi, j'accompagne Julia à la gare Saint-Charles. Nous nous livrons à la grande scène des adieux. Heureusement, Félicie met toujours une demi-douzaine de mouchoirs propres dans ma valise. J'en sors un de ma poche pour essuyer les larmes de ma douce amie et un autre pour agiter au moment où le train s'ébranle.

Dans l'existence, il faut toujours être correct.

Je profite de ce que je suis à la gare pour mobiliser un taxi, car je vais avoir pas mal de courses à faire dans un laps de temps assez court.

Pour commencer, je me fais conduire au *Colorado*. Comme je l'espérais, la boutique est fermée. J'aperçois, dans les parages, quelques bonshommes qui examinent les étalages avec une innocence qui sent son flic de très loin. Je m'approche de l'un d'eux et lui colle mon insigne devant le nez.

— Ecoutez, dis-je, c'est moi qui suis sur l'affaire que vous savez. Avez-vous vu entrer ou rôder un quidam depuis votre faction ?

Il secoue la tête.

— Non, monsieur le commissaire.

— Eh bien, continuez à ouvrir l'œil.

Je passe par l'allée et me voici dans une cour obscure, sur laquelle s'ouvrent plusieurs portes. Je me repère. L'entrée de service du bar doit être la première à droite. Je sors un petit outil de ma poche et je me mets au boulot.

Cet instrument, je ne l'ai pas inventé et celui qui l'a mis au point a oublié de le faire breveter. Maintenant c'est trop tard pour qu'il y pense, parce qu'à l'heure où je vous parle il habite une boîte en sapin dans un coin du cimetière des condamnés à mort. En tout cas, son outil est épatant ; en quelques secondes, la serrure Yale m'obéit et j'entre dans la forteresse.

Le silence et l'obscurité sont souverains. Je tâtonne pour trouver le commutateur. Je le trouve. La lumière jaillit. Je ne m'étais pas trompé : je suis dans les cuisines de l'établissement. Tout est en ordre. J'inspecte les lieux : il n'y a personne, comme vous le pensez. Je traverse le bar et je pousse une petite porte discrète qui s'ouvre dans un grand motif de tapisserie exotique. J'accède à un bureau exigu, meublé élégamment. Je me précipite sur les tiroirs comme un pickpocket sur le tronc des écoles laïques, et je fouille dans les papiers qui s'y trouvent avec une rare délectation. Mais mes recherches sont vaines. Je ne retrouve que des factures de marchands de spiritueux, des catalogues, des indices de prix, des notes de gaz et d'électricité, des feuilles de paie, des livres de comptes, en un mot toutes ces paperasses inhérentes à l'exploitation d'un commerce de ce genre. Rien qui soit une indication sur la personnalité du propriétaire. Je crois que si je visitais le musée de l'armée j'en apprendrais aussi long que dans cet établissement fermé.

Je m'apprête à filer lorsqu'il me vient une idée qui vaut son pesant de cognac. Je vais à l'appareil téléphonique situé à côté du comptoir et je l'examine. J'ai mis dans le mille : c'est un simple appareil intérieur, sans cadran, qui dépend de celui du sous-sol. A ce moment-là un petit déclic se fait sous mon cuir chevelu. Je revois Batavia en train de téléphoner la veille au soir tandis que j'attendais Su-Chang. Puisqu'il est allé à cet appareil, *c'est donc que quelqu'un lui téléphonait d'en bas.* Or, comme il a quitté le bar aussitôt après, en compagnie de ses acolytes, pour organiser sa partie de mitraillette, tout me porte à croire que quelqu'un lui a donné, à cet instant-là, l'ordre de

?

nous organiser une croisière pour le Paradis, au Chinois et à moi. Je décroche et dépose l'appareil sur le comptoir. Après quoi, j'attache ma montre à l'émetteur.

Puis je descends à l'étage inférieur et je pénètre dans la cabine téléphonique. Je porte l'écouteur à mes oreilles en le saisissant délicatement, et j'écoute. Mon raisonnement s'avère exact car j'entends le faible tic-tac de ma breloque. Donc il suffit de décrocher les deux appareils pour être en contact.

Je prends mon canif et je tranche le fil téléphonique au ras de l'écouteur, après quoi j'enveloppe celui-ci dans mon mouchoir et l'enfouis dans ma poche.

Mon chauffeur est toujours là. Il bouquine *Oh!* Un magazine rempli de choses passionnantes. Je lui tape sur l'épaule :

— A la morgue !

Il sursaute, parce que, justement, il lisait un conte policier.

— Hein !

— A la morgue !

Il démarre. Décidément, je passe ma vie dans ce frigidaire. Le gardien me reconnaît aussitôt. Les flics ont dû l'affranchir.

— Alors, monsieur le commissaire, me dit-il, vous m'avez envoyé des clients... C'est gentil.

Je ne souris pas en entendant ces facéties de garçon de bain.

— Dites-moi, mon vieux, vous devez avoir les fringues du Chinois.

— Justement, approuve-t-il, on m'a téléphoné de la Sûreté de les tenir à votre disposition.

Il m'entraîne dans une salle qui sent le désinfectant et la crasse en conserve. Il saisit un paquet ficelé dans un casier et le défait sur une table. Je fouille les poches des pauvres nippes de Confucius.

— C'est déjà fait, me dit le gardien. Tous les objets qu'il portait sur lui se trouvent dans ce petit sac de toile.

Je vide la pochette sur la table. Elle contient un briquet, un paquet de *Lucky*, une chevalière en or, un crayon, un carnet de tramway, un mouchoir et un trousseau de clés. J'attrape les clés et les envoie rejoindre l'écouteur téléphonique dans ma poche. Je fais un petit salut de la main au gars du frigidaire et je vais rejoindre mon chauffeur.

— Cette fois à la Sûreté !

Arrivé devant l'entrée de la grande maison, je me précipite dans le couloir. Je demande le bureau de Favelli, que je n'ai pas encore vu. Il s'y trouve en compagnie de Baudron. C'est un petit Corse à l'air pas commode et qui a les épaules aussi larges qu'un bahut normand. Baudron fait les présentations.

— Très heureux, me dit Favelli. Alors, où en êtes-vous ?

Je vide le contenu de ma poche droite, et tends l'écouteur téléphonique à mon collègue.

— Faites relever les empreintes qui se trouvent là-dessus et vérifiez aux dossiers si, par hasard, vous ne connaissez pas leur propriétaire.

Je m'assieds sur un coin du bureau.

— Entendu !

— Avez-vous du nouveau au sujet des trois loustics de la falaise ?

— Peut-être bien que oui, et peut-être bien que non, gouaille-t-il.

J'attends ses explications.

— A deux kilomètres de l'endroit où vous avez failli vous faire assaisonner, poursuit Favelli, se trouve un petit embarcadère appartenant à un club. Dans cet embarcadère se trouvent des hangars nautiques abritant des canots à moteur. Or, cette nuit, la porte de ces hangars a été fracturée et une des embarcations volée, vous pigez ?

— Très bien. Il y avait beaucoup d'essence à bord ?

— Suffisamment pour permettre à ces crapules de

filer. Ils ont dû gagner un point de ralliement quelconque sur la côte et se planquer.

Nous échangeons quelques mots sur le boulot et je m'esquive.

— Vous en avez encore pour longtemps ? me demande le type du taxi.

— Ça vous fatigue de me trimbaler ?

— Pensez-vous, patron. C'est pour savoir si je dois faire mon plein d'essence.

— Faites-le, on ne sait jamais.

Maintenant je vais interviewer le jardinier de la maison de Julia. Il ne faut rien négliger. Mais je constate une fois de plus que cette organisation est de première et que ces carnes-là ne laissent rien au hasard. Vous allez voir pourquoi.

Au moment où je sonne chez le type, un certain Mérulant, je constate que sa porte est criblée de petits trous qui n'ont pas dû être pratiqués avec un vilebrequin. Pour la deuxième fois aujourd'hui, je me sers de l'outil dont je vous ai parlé plus haut et j'ouvre. Plus exactement, j'essaye d'ouvrir car quelque chose bloque la porte. Je pousse fortement et j'entrebâille l'huis. Juste assez pour me permettre de glisser un regard à l'intérieur.

CHAPITRE IV

COMME UNE TÊTE DE MOUTON

Je redescends quatre à quatre l'escalier et je saute sur mon chauffeur.

— Allez téléphoner au plus proche café, mon ami. Faites le numéro de la Sûreté et demandez le commissaire Favelli ou à défaut son adjoint et dites-leur de rappliquer dare-dare ici avec une ambulance. De la part de San-Antonio, n'oubliez pas.

— Que se passe-t-il ? s'inquiète l'homme.

— Il ne se passe plus rien, dis-je.

— Mais...

— Dépêchez-vous !

Il s'exécute et trotte vers le haut de la rue où l'on aperçoit une enseigne de café.

En attendant mon monde, je m'assieds devant la porte, sur les marches d'escalier, et j'allume une cigarette. Je ne fume pas énormément, mais lorsque j'en grille une, vous pouvez croire que mon cerveau fait des heures supplémentaires.

Favelli et Baudron ne prennent pas des chaussures de scaphandrier pour arriver. Dix minutes ne se sont pas écoulées que j'entends le claquement d'une portière. Mes deux collègues apparaissent.

— Alors ? fait Favelli.

Je souris gentiment et leur donne quelques mots d'explication. Je leur révèle de quelle façon j'ai eu l'adresse du type qui s'occupait de l'entretien de la baraque et des pigeons voyageurs.

— Quelqu'un m'a devancé, conclus-je. Ce quelqu'un avait de l'artillerie plein ses mains. Il a sonné. Le jardinier ne devait pas appartenir au gang ; comme il avait lu les journaux du matin il se méfiait et a demandé l'identité de son visiteur. Alors ce dernier lui a répondu à coups de .38. Voilà l'histoire.

— Sapristi ! s'exclame Favelli. A ce train-là, il ne restera bientôt plus personne à Marseille.

Nous achevons d'ouvrir la porte et nous examinons le locataire. Le pauvre colombophile est allongé sur le carrelage de son vestibule et il est plein de trous, comme un fromage de gruyère.

Mon type de la morgue va démissionner ou embaucher du personnel si on continue à lui expédier des cadavres.

— Avec vous, au moins, on est sûr d'obtenir de l'imprévu, affirme Baudron.

Nous appelons les deux gardes qui sont sur le palier avec leur civière. Ils chargent le défunt et l'emportent. Nous les suivons. Parvenu dans la rue, je règle mon taxi en le remerciant pour ses bons et loyaux services. Puis je cligne de l'œil à l'intention des collègues.

— Laissons monter les gardes devant, leur dis-je, et installons-nous à l'arrière.

Ils obéissent, assez éberlués je dois l'avouer.

Quand nous sommes accroupis à côté de la victime, je leur fais part de mon projet, car je ne vous en ai pas encore parlé, mais j'ai une idée, et elle me paraît excellente.

Je les initie rapidement.

— Pour attraper les écrevisses, leur expliqué-je, on met dans les « balances » des têtes de mouton ; j'ai bien envie de jouer à la tête de mouton.

— Apprenez-nous, fait Favelli, nous pourrons faire une partie.

Je poursuis :

— Ça se joue tout seul, comme le bilboquet.

Je me penche sur le cadavre. Malgré ma répugnance, je

lui ôte sa veste perforée et je la revêts après avoir quitté la mienne. Le hasard est gentil puisqu'il a permis que nous soyons de la même taille tous les deux.

Je regarde mes voisins et je m'aperçois qu'ils ouvrent des yeux... mais des yeux, comme si un crocodile se mettait à leur réciter les fables de La Fontaine.

— Maintenant, dis-je, c'est moi la victime. Nous allons mettre ce type par terre et le dissimuler sous cette bâche qui doit, du reste, ne servir qu'à ça. Ensuite, je prendrai sa place et vous me débarquerez à l'hosto. Auparavant Favelli ira affranchir le médecin-chef. Vous saisissez ?

— Heu... Non...

Ils ont répondu avec un ensemble parfait.

— C'est cependant très simple.

Je frappe pour avertir les gardes. L'un d'eux fait coulisser la vitre.

— A l'hôpital, ordonné-je.

Le moment est venu de discuter sérieusement. Je dévoile mes batteries à mes collègues de la Sûreté.

— Vous allez annoncer à la presse que le gang des espions a essayé de buter le jardinier. Vous m'entendez : *a essayé*. Vous ajouterez qu'ils ne l'ont pas eu complètement et que, bien qu'il ne puisse parler tout de suite, les jours du bonhomme ne sont pas en danger. Nos gaillards auront la frousse.

— Vous en êtes certain ? interroge Baudron.

— Dame, réfléchissez un peu : s'ils l'ont abattu, c'est qu'ils le jugeaient dangereux pour leur sécurité.

— En effet.

Je continue :

— Ils ne peuvent être absolument certains qu'il soit mort puisqu'ils lui ont tiré dessus à travers la porte. Donc votre déclaration ne sera pas mise en doute. Ils n'auront à ce moment-là qu'une idée : achever le jardinier avant qu'il ait repris connaissance. Pour cela, ils se manifesteront d'une manière ou d'une autre et ce sera à nous de sauter sur l'occasion.

— Magnifique ! trépigne Baudron.

— Mais très dangereux, souligne Favelli.

Je le rassure.

— Croyez-moi, collègue, j'en ai vu d'autres... Et je suis toujours là.

— Il faut une fin à tout, soupire le commissaire.

Je ricane :

— Vous allez me faire pleurer.

Tout se passe comme je l'ai décidé. Arrivé dans la cour de l'hôpital. Favelli s'éclipse. Pendant son absence je parfais ma petite mise en scène. Pour cela je défais mon pansement et me macule le visage avec mon sang. Comme, avec ces péripéties à la Nick Carter, je n'ai pas eu le temps de me raser, je donne exactement l'impression que je veux donner. Pour parfaire l'illusion, j'ébouriffe mes cheveux et me convulse le visage. Tant et si bien que lorsque Favelli revient, il a un haut-le-corps en m'apercevant.

Deux infirmiers me coltinent dans les étages, on m'allonge dans un bon lit chouettement rembourré.

Le médecin-chef soigne ma blessure du bras. Je lui souffle quelques mots pour achever son éducation et il incline la tête en guise de réponse. Cet homme-là saisit rapidement ce qu'on attend de lui.

Enfin on me laisse.

Avant de quitter la chambre, Favelli me donne un aperçu des précautions qu'il va prendre pour garantir ma sécurité. Il y aura tout d'abord une demi-douzaine de poulets chez le concierge, afin de surveiller les entrées, puis deux autres, déguisés en infirmiers, dans le service.

Il me semble que c'est O.K.

Je me dis que j'ai la nuit devant moi, puisque les journaux ne paraîtront que demain matin. Je peux donc me laisser dorloter jusqu'à l'aurore.

Une bonne sœur m'apporte une raie au beurre et des endives en salade. Je me tape le tout et je lui demande si, des fois, il n'y a pas, dans cet hôpital, d'autres alcools que ceux qui servent à nettoyer les bistouris. La petite sœur sourit et revient avec un flacon de Cointreau. C'est un peu faiblard comme digestif, mais je m'en introduis tout de même une vingtaine de centilitres dans l'estomac.

Et maintenant, je pourrais peut-être en écraser, non ?

CHAPITRE V

UNE JOLIE NIÈCE

Une aube maussade blanchit les vitres dépolies. Je viens de m'éveiller. L'hôpital est silencieux. Par l'imposte de la porte, je me rends compte que les lampes veilleuses du couloir sont toujours allumées.

Je réfléchis. En ce moment, les voitures des messageries sillonnent les rues à toute vitesse pour livrer les journaux. D'ici une heure, les canards de la cité phocéenne seront sur tous les loquets de porte. J'ai le temps.

Je me mets en boule dans mon dodo et je m'offre un petit supplément de sommeil. Dormir ! C'est la meilleure façon de passer le temps agréablement. A moins, évidemment, d'avoir à côté de soi un beau brin de pouliche comme Julia.

Ah ! la belle gosse. Il faudra que j'aille lui rendre visite à Nice, avant de regagner Paris. Lorsque, bien entendu, mon enquête sera terminée.

En attendant, je me mets à rêver à elle... Elle est dans un grand jardin, aussi grand que le Luxembourg. Elle ramasse des fleurs, elle en a déjà plein les bras, et elle rit et elle chante. J'en profite pour arriver. Julia laisse tomber ses fleurs et me passe ses bras autour du cou.

C'est rudement agréable de rêver ça, moi je vous le garantis ; vous vous rendez compte à quel point je possède une nature poétique ?

Un infirmier entre dans ma chambre. Après que je me suis frotté les yeux, je constate que ce garçon ressemble autant à un infirmier que moi au Bey de Tunis. S'il n'est pas flic et si ses ascendants n'ont pas été flics depuis les croisades, je ne m'appelle plus San-Antonio.

— Monsieur le commissaire, chuchote-t-il, quelqu'un demande à vous voir. Enfin, pas vous, mais le pseudo-blessé.

Je me mets sur mon séant.

— Quelle heure est-il ?

— Dix heures.

Bigre, mon doux rêve s'est rudement prolongé.

Je questionne :

— Qui demande à me voir ?

— Une jeune fille, elle prétend être votre nièce.

— Ma niè... Ah oui ! A quoi ressemble-t-elle ?

— Elle est très belle.

— Blonde ?

— Non, brune.

Il ajoute gourmand :

— Et les yeux bleus. Nous lui avons dit qu'elle ne pourrait peut-être pas vous voir parce que vous êtes très mal. Mais elle insiste. Elle pleure à fendre l'âme. Que faut-il faire ?

C'est précisément la question que je me pose avec acuité. De deux choses l'une, ou bien il s'agit réellement de la nièce du zigouillé et j'aurai bonne mine lorsqu'elle s'apercevra que je ne suis pas son oncle, ou bien la jeune pleureuse est envoyée par le gang pour tâter le terrain. En ce cas, il n'est pas très sain de la recevoir.

Je me décide néanmoins.

— Ecoutez-moi, jeune homme. Vous allez l'amener ici. Vous lui direz que je commence à peine à reprendre connaissance. Et surtout ne la perdez pas de vue.

— D'ac...

Je tire les rideaux et asperge mon lit d'éther. Puis je m'allonge et prends une attitude *ad hoc*. J'ai les paupières mi-closes — ce qui est très pratique pour reluquer en douce — et le souffle court.

La porte s'ouvre. Dans l'encadrement, j'aperçois une

mince silhouette. La silhouette fait quelques pas, flanquée de l'infirmier. Elle a un petit visage doux et chaviré. C'est une très belle poupée, en effet, l'infirmier-poulet s'y connaît. Pour créer l'ambiance, je me mets à prononcer des mots inintelligibles entrecoupés de râles très réussis.

Je m'attends à ce que la visiteuse proteste et clame bien haut qu'il y a maldonne et que je ne suis pas son cher vieux tonton. Mais elle se tait un long moment et semble réprimer ses sanglots. Elle s'approche du lit. Sans cesser de geindre et de bavocher je surveille ses mains... On ne sait jamais ce dont une femme est capable... Vous ne voyez pas qu'elle ait un petit stylet dans sa manche...

Puis elle ouvre les grandes eaux. Et là, j'avoue que j'admire sa technique.

— Mon oncle, gémit-elle, mon cher tati, mon bon tati.

Je ne sais pas ce qui me retient de sauter du lit et d'administrer une fessée à cette vipère. Tout ce que je pense d'elle à cet instant ne pourrait être récité pendant une cession entière de l'O.N.U.

En tout cas l'expérience est concluante. L'infirmier le comprend et dit à la jeune fille que c'est assez pour une première visite et qu'elle doit se tailler. Elle reviendra si ça lui chante, dans l'après-midi. Elle s'incline et part après une dernière tirade.

Dès qu'elle est au bout du couloir, je saute du lit et je bondis au téléphone.

— Passez-moi la guichetterie !

— Allô ! Le portier ! Appelez immédiatement un des messieurs qui doivent vous tenir compagnie !

— J'en suis un, répond une voix du Cantal, avec un certain orgueil bien légitime.

— O.K. Ici San-Antonio. Suivez la donzelle qui est venue me voir, et ne la perdez pas de l'œil une seule seconde si vous ne tenez pas à ce qu'on vous envoie à la pêche jusqu'à ce qu'il n'y ait plus un seul poisson en Méditerranée. Compris ?

— Compris, patron !

Je pousse un soupir et fouille les poches de ma veste à la

recherche d'une gitane. J'ai la nette impression qu'il y
aura du nouveau d'ici peu de temps. Parce que ça ne fait
pas l'ombre d'un doute que nos gaillards cherchent à
s'occuper du pseudo-jardinier que je réincarne si obli-
geamment. Et, croyez-moi, s'ils s'en occupent, ça n'est
pas pour lui procurer une situation au parc Borelli, mais
bien plutôt pour lui offrir un voyage dans un patelin où les
marchands de canons et les marchands de mouron sont
tous copains.

Pour l'instant, il ne me reste qu'à attendre les résultats
de la filature. Il y a des moments dans l'existence où il faut
apprendre la patience, because c'est encore plus utile bien
souvent que l'étude de la géologie.

Je dis à mon infirmier à la graisse d'oie d'aller m'acheter
des magazines illustrés, malgré que je n'apprécie pas
beaucoup d'ordinaire ce genre de lecture, mais enfin ces
journaux-là sont remplis de belles pin-up et j'aime autant
regarder leurs photos que celle d'André Gide.

Une heure passe.

Si vous n'avez pas une savonnette à la place du cerveau,
vous devez vous souvenir que je suis claustrophobe, ce qui
veut dire, je le répète, que je crains d'être longtemps
bouclé dans un endroit exigu. Ça me flanque des picote-
ments dans la moelle épinière. Je me tourne et me
retourne dans ce lit trop moelleux. A la fin, je n'y tiens
plus, j'enfile mon pantalon et je sors dans le couloir pour
me dégourdir les jambes. De toute façon, s'il vient encore
quelqu'un pour moi, j'en serai informé à temps.

Tout à coup, il se produit un fracas épouvantable.
L'étage tremblote comme le ferait la tour Eiffel si elle
était déboulonnée. Une avalanche de platras me dégringole sur le râble. Cette explosion provient de ma chambre.
J'entre. Quel spectacle! A la place de mon lit, il y a un
paquet de ferrailles et des guenilles qui flambent. Les
vitres de la croisée sont descendues dans la cour; on se
croirait en week-end chez Hitler au moment de la prise de
Berlin.

Bien entendu, ça hurle à qui mieux mieux dans

l'établissement. Les malades s'imaginent qu'ils sont à bord d'un croiseur de bataille japonais repéré par une escadrille américaine. Le personnel rapplique en courant, mon infirmier en tête.

On me questionne. On me palpe.

Alors j'envoie promener tout le monde.

Ce qui s'est passé ? je le sais bien. Tout à l'heure, la pépée brune, en jouant sa comédie du désespoir, a glissé un morceau de plastic au pied de mon lit.

Comme quoi, si je n'avais pas été claustrophobe, je serais probablement assis sur un nuage à l'heure actuelle.

En attendant, ma veste, ma chemise, ma montre, mon portefeuille et mon insigne sont restés dans l'aventure.

Je commence à en avoir plein le dos de ce roman policier.

CHAPITRE VI

JE M'Y METS

Et comment que je m'y mets !

Dès que je suis à peu près relingé, je viens chez le concierge de l'hôpital. Je veux être là lorsque le flic qui a pris ma bombardière en filature donnera de ses nouvelles.

Je suis tellement de mauvaise humeur que personne n'ose me parler. Des journalistes qui veulent des détails me prennent pour le bonhomme des entrées. Je suis aimable avec eux à peu près comme une tigresse avec un boa. Il y en a un qui insiste et qui me promet de passer ma binette dans son canard si je lui refile des détails sur l'attentat. S'il savait mon nom, il m'emporterait sous son bras jusqu'à ses rotatives, mais je le mets en fuite en lui expliquant que je suis ceinture noire de judo et que, s'il continue à me harceler, je me mettrai en colère. J'ajoute pour le tuyauter bien à fond, qu'après une de mes colères il passerait le restant de ses jours à se demander de quel côté sa tête était orientée avant de m'avoir connu.

Enfin on me fiche la paix.

Je continue ma faction devant le téléphone en me demandant si la môme-plastic ne s'est pas aperçue qu'elle était filée. J'espère que l'inspecteur qui lui a emboîté le pas connaît son métier, car alors, étant donné le sang-froid de la belle incendiaire, je ne donne pas cher de sa peau.

J'en suis là de mes réflexions lorsque le téléphoniste me regarde et cligne des yeux : c'est pour moi. Je saute sur l'appareil.

— Allô, ici San-Antonio, où en êtes-vous ?

— C'est toute une histoire, chef. La petite, en sortant de l'hôpital, a fait des tas de courses dans les magasins. Puis elle est allée roucouler avec un beau jeune homme dans une maison de thé. Maintenant elle vient de rentrer dans un immeuble, rue de Toulon. Je vous téléphone d'un bar : *les Mouettes,* d'où je surveille l'entrée. Que faut-il faire ?

— M'attendre, je vous rejoins. A moins bien entendu qu'elle ne sorte entre-temps.

Je me frotte les mains : voici enfin une indication. Je commençais à me ronger les ongles jusqu'à la seconde phalange. Je quitte l'hôpital promptement et arrête un taxi qui passe. Je lui ordonne de me conduire à tombeau ouvert au bar des *Mouettes,* car, lorsque j'étais pas plus haut que ça et que je portais une blouse noire, mon maître d'école me disait déjà qu'il faut battre le fer pendant qu'il est chaud. Je n'ai jamais eu l'occasion de battre le fer, mais je sais que cet axiome-là s'applique à toutes les circonstances de la vie.

Le bar des *Mouettes* est un petit café qui fait l'angle d'une rue. Je congédie mon taxi et j'enfonce le bec-de-cane. Je me trouve dans une petite salle agréable qui ressemble au pont d'un navire. Sur tous les murs on voit la mer, le ciel et des paquets de mouettes qui volent.

Un seul client ! Ça doit être mon type, car il se lève et vient à moi.

— Commissaire San-Antonio ?

— Oui.

— Je suis l'inspecteur Martinet.

— Très bien, du nouveau ?

— Peut-être.

— Expliquez-vous.

— La petite brune est redescendue avec un grand gaillard, le bonhomme a pris place dans une auto en stationnement, ils se sont dit au revoir et elle est remontée chez elle. Elle doit être seule en ce moment.

— Qu'est-ce qui vous porte à penser cela ?

— Elle tenait ses clefs à la main.

Décidément, ce Martinet a de l'œil et de la jugeote. Je lui en fais compliment et il se met à rougir comme une rosière qui voyagerait dans un compartiment bourré de matelots.

Je commande deux doubles pastis et je grignote quelques olives.

— Puis-je me permettre une question, commissaire ? dit l'inspecteur.

— Allez-y !

— Croyez-vous à la culpabilité de cette fille ? Elle a l'air très convenable.

Je ne peux pas me retenir de rigoler. Très brièvement j'affranchis Martinet sur le compte de sa vamp. Je lui raconte comment cette douce créature glisse subrepticement des morceaux de plastic au pied des lits. Il n'en revient pas et m'examine comme si j'étais la réincarnation de Charlemagne.

— Dans ces conditions, il faut faire cerner l'immeuble, patron, et cueillir cette petite garce au plus tôt.

— Ecoutez, mon vieux, Félicie m'a expliqué, depuis mon plus jeune âge, que tout venait à point à qui savait attendre. Il n'y a pas besoin de rappeler les réservistes pour rendre visite à mademoiselle Dynamite.

— Vous voulez ?...

— Sûr, et sans plus tarder. J'ai bigrement envie de lui dire ce que je pense sur la façon qu'elle a de soigner sa famille.

Je règle la tournée et nous sortons.

Nous traversons la rue et nous nous engouffrons dans l'allée d'en face. Martinet marche devant. Il s'engage dans l'escalier et grimpe jusqu'au deuxième étage.

— Compliment, lui dis-je, vous savez vous informer.

Il nage dans la joie ce petit inspecteur... Pensez donc ! travailler avec un as de Paris, lorsqu'on débute en province... Ça vous galvanise un homme...

Nous sommes en arrêt devant une porte, je lis le nom sur la plaque : Elsa Meredith. Ainsi elle s'appelle Elsa ?

C'est un nom qui fait aventurière, comme quoi le parrain de cette vipère avait le nez creux…

Je sonne, la porte s'ouvre. Elle est là, souriante.

— Bonjour, commissaire, gazouille-t-elle.

Pour une surprise, c'est une surprise. Rarement je n'ai éprouvé un tel saisissement. Néanmoins, je fais assez bonne figure.

— Bonjour, gamine, lui dis-je Alors, vous me connaissez ?

— Il paraît ! Mais entrez, je vous prie !

Je fais quelques pas à l'intérieur d'un hall somptueux, couvert d'un tapis aussi épais qu'une tranche de glace napolitaine.

Elsa ouvre une porte vitrée et s'efface pour me laisser passer. Le mieux à faire est encore de jouer le jeu. Je pénètre dans la pièce qui est un grand salon, meublé comme un cinéma. Il comporte une demi-douzaine de fauteuils clubs et un piano à queue. Il y a un type dans chaque fauteuil, et un septième qui a du goût pour le romantisme est accoudé au piano. Tout ce monde-là, parmi lequel je reconnais mes tueurs de la falaise, demeure grave et silencieux, avec un pétard sur les genoux. Charmante réception.

Je me retourne : Martinet tient un superbe Lüger, flambant neuf, à la main. Et le canon de cette arme est dirigé vers mes reins.

Je hausse les épaules.

— Ah ! bon, dis-je, c'est un guet-apens !

— Tu l'as dit, joli, me rétorque le pseudo-Martinet. Alors c'est toi, le fameux Antonio ? Trompe-la-Mort ? L'as des as ? Le dur des durs ? Qui se laisse fabriquer comme une pauvre cloche…

J'ôte mon chapeau et je m'assieds sur un canapé.

— C'est moi, reconnais-je.

Je pousse un gros soupir en songeant que ce sacripant a raison.

CHAPITRE VII

DE QUOI RÉFLÉCHIR

Il y a un long silence pendant lequel personne ne fait un geste. L'atmosphère est tendue comme une peau de tambour. Si une mouche se frottait les pattes, ça produirait certainement de l'électricité. Enfin Elsa éclate de rire. Je lui en suis reconnaissant.

Vous pensez peut-être que j'ai la frousse ?... Eh bien, vous vous trompez sur mon compte. Je suis bien trop humilié pour songer aux périls qui me menacent.

Voilà ce que c'est que d'être trop impétueux. Que n'ai-je requis l'assistance de Favelli ou de son second avant de me lancer à l'assaut !

— Tu n'en reviens pas, hein ? triomphe le faux Martinet.

Je ne réponds pas.

— Tu t'imagines, poursuit-il, que nous allions couper dans le panneau. Tu as cru que notre petite Elsa ne saurait pas différencier San-Antonio du jardinier. Ce qu'elle a pu rigoler quand elle a compris qu'il s'agissait de toi. Remarque que je ne croyais guère à la vie du type, pour la bonne raison que je l'avais moi-même assaisonné, et que c'est un sport où je suis champion.

— Alors, pourquoi êtes-vous venus voir ?

— Le patron n'aime rien laisser au hasard, tu t'en es déjà rendu compte... Mais nos précautions étaient prises pour le cas où Elsa serait suivie — ce qui justement s'est produit. Il ne nous a pas fallu longtemps pour repérer ton petit inspecteur et pour l'inviter à monter dans notre voiture... Il n'a pas fait trop de difficultés : c'est un gars sans manières.

Je ne peux résister à l'envie de poser une question qui me tourmente depuis un instant.

— Comment savez-vous que j'avais échappé à l'attentat ?

Elsa se tape les cuisses.

— Tu reconnais ce gentleman ? questionne-t-elle en me désignant un des zèbres vautrés dans les fauteuils.

Je réprime une exclamation, car l'homme que je dévisage n'est autre que le journaliste qui insistait pour entrer à l'hôpital.

Il me salue d'un air moqueur.

— Tu parles, enchaîne le faux inspecteur, lorsque nous avons su que tu te tenais dans la loge du portier, nous avons tout de suite compris que tu étais capable de foncer au premier signal, c'est pourquoi nous avons dressé nos filets et tu es venu t'y prendre en courant...

— Tout ça c'est très joli, dis-je, mais vous devez bien penser que le message téléphonique a été enregistré. D'ici quelques minutes le bar des *Mouettes* sera plein de flics.

— La belle affaire ! sourit mon interlocuteur, le patron est un copain. Il a un boniment tout prêt pour tes petits amis qui sont au moins aussi ballots que toi.

Je me renfrogne.

— Ça va, je suis flambé ! Où est-ce que ça va se passer ?

— Tu espères encore t'en sortir ? Tu comptes sur un petit voyage comme l'autre soir pour tenter ta chance ?

Mes tireurs de la falaise grommellent des choses imprécises. Je les regarde d'un air amusé.

— Avouez que je vous en ai joué une bien bonne, mes chéris.

Ils serrent les poings.

— Laisse tomber, me conseille Elsa, ça n'est plus le moment de faire le flambard...

— C'est toujours le moment, ma cocotte en sucre.

Surtout lorsqu'on a devant soi des espèces de pieds plats comme vous tous.

Elle tressaille. J'aime les filles qui réagissent.

— Sois persuadée, ma jolie, que si je n'avais pas eu pour me seconder un empoté comme Martinet dont il est tant question, les rôles seraient inversés.

— Tu crois cela, poulet ?

— Fortement, oui, ma tigresse.

— Alors c'est que tu vis d'illusions.

— Chacun a son jardin secret.

— En tout cas, on va bientôt creuser un bath trou dans le tien et on t'y enterrera. Je te porterai même des fleurs. Tu as une préférence quelconque ?

— Comme bouquet, je voudrais des orties, c'est des plantes que j'aime avoir à portée de la main. Lorsque je me trouve en présence d'une donzelle comme celle qui est devant moi.

La môme Elsa grince des dents. Ses yeux flamboient.

— Vous ne liquidez pas encore cette pauvre gonfle ? demande-t-elle aux hommes.

Un grand caïd hausse les épaules.

— Il faut attendre Früger. Il veut dire deux mots à ce flic du diable.

Enfin, je vais voir le fameux espion. Tout me porte à croire, hélas, qu'on ne me laissera pas le loisir de discuter avec lui du traité des Pyrénées.

Je me mets à mon aise et j'attends.

On sonne à la porte.

— Le voilà, murmure Elsa.

Elle va ouvrir et revient aussitôt après, flanquée d'un homme entre deux âges, grand et élégant, qui a des yeux très clairs et l'air très courtois.

Il s'incline en m'apercevant.

— Heureux de vous connaître, commissaire. On peut dire que vous nous avez donné beaucoup de mal. Depuis votre arrivée à Marseille, notre petite organisation a vécu des heures mouvementées.

— Il n'y a pas qu'elle, dis-je, avec humeur. J'ai rarement vu des types aussi endurcis que vous. Comme collection de tueurs, ça n'est pas trop mal.

— Vos compliments me vont droit au cœur, commissaire. Quel dommage d'être obligé de supprimer un adversaire aussi audacieux!

— C'est ce que je pense du fond du cœur.

Früger ôte ses gants beurre frais.

— Jamard, dit-il, en se tournant vers Martinet, voulez-vous préparer la seringue? Il est inutile de tourmenter plus longtemps ce monsieur.

Ils vont me faire le truc de la piquouse, comme à un chat malade. Martinet sort une petite boîte de sa poche. D'ici cent secondes, s'ils sont adroits, je serai aussi ratatiné que la momie de Ramsès II.

Il y a de quoi réfléchir, n'est-ce pas?

CHAPITRE VIII

FAITES BRILLER L'ÉTOILE

Des gouttes de sueur perlent à mes tempes ; par contre, par un curieux équilibre de température, j'ai la moelle épinière plus froide qu'un nez de chien. J'ai déjà un goût de mort dans la bouche et mon cerveau bloqué se refuse à toute réflexion. Très souvent, au cours de mon aventureuse carrière, j'ai murmuré *in petto :* Cette fois ça y est ! Mais au fond je n'y croyais pas, et la preuve, c'est que je m'en suis tiré.

Pourquoi me suis-je sorti de toutes les plus moches situations ? Parce que je m'appelais San-Antonio et que pour les réflexes personne ne pouvait me damer le pion.

Les réflexes !

J'ai un sursaut d'énergie. Je me dis que si je flanche un millième de seconde, je suis perdu.

Un jour, en Amérique, du côté de Los Angeles, au temps où j'appartenais à une agence de police privée, je me suis vu avec le canon d'une mitraillette dûment chargée sur la poitrine et le type qui était de l'autre côté de la mitraillette appuyait à fond sur la détente, je vous l'assure. Eh bien, le coup n'est pas parti, parce que ce croquant-là avait oublié, dans sa hâte de me transformer en engrais azoté, de lever le système de sûreté. *A priori,* on pourrait croire que ce genre de truc n'existe que dans les films de Gary Cooper ou de Laurel et Hardy, mais vous voyez qu'il n'en est rien.

Le Martinet sectionne l'extrémité d'une ampoule de

verre et plonge sa seringue dedans. Donc, si je veux que mon étoile se remette à briller, je dois commencer illico à la passer à la peau de chamois. Il n'y a plus une minute à perdre.

Si au moins ma veste n'avait pas été brûlée dans l'incendie de ma chambre... J'ai dans mes fringues toutes sortes de poches ultra-secrètes qui contiennent des petites choses intéressantes...

Ça y est! Je la tiens, l'idée, car je viens de penser qu'il me reste le pantalon, or, dans ce pantalon, à la hauteur du genou, la couture n'est pas cousue sur une longueur de quatre centimètres environ, mais simplement ajustée par des pressions. Je dispose donc, à cet endroit d'une sorte de petite poche qui contient du poivre moulu. Je croise les jambes et récupère mon poivre en douce. Pour détourner l'attention, je fais le mirliflore.

— Ainsi, dis-je à Elsa, il va falloir que nous nous séparions, ma beauté?

— Que veux-tu, me répond-elle. Il arrive toujours des sales histoires aux petits garçons trop curieux.

— C'est rudement rageant de se faire expédier dans le grand cirage, sous les yeux d'une jolie fille à laquelle on voudrait raconter des tas de bobards.

— Bast, console-t-elle, un peu plus tôt, un peu plus tard, il faut tout de même y passer...

Je souris.

— C'est pas tellement bête ce que tu dis là, Elsa.

— Allons, déclare Früger, finissons-en.

Il m'empoigne le bras gauche et remonte ma manche. Le faux journaliste se place de l'autre côté avec son pétard; enfin Martinet s'approche avec sa petite panoplie de vétérinaire.

Ça fait en moi comme au cirque, au moment où le trapéziste va faire le saut de la mort.

Je me dis: « Mon petit San-Antonio, c'est à toi de jouer! »

Et je m'obéis avec une extraordinaire docilité.

De toutes mes forces je balance mes pieds dans le ventre

du faux Martinet qui pousse un ululement de locomotive sous un tunnel et s'affaisse sur le tapis. En même temps, je balance mon poivre dans les mirettes du journaliste et, de mon autre main, je saisis Früger et le tire devant moi. Je suis l'homme-orchestre de la place Blanche : tout l'individu fonctionne.

Inutile de vous dire que le désordre est indescriptible.

Pour commencer, le journaliste, fou de rage et de douleur, fait donner son artillerie au petit bonheur, des balles traversent mes fringues sans me toucher, heureusement. Früger a moins de chance car il en bloque une dans le citron, et rend son âme au diable.

Je le lâche et pique un plongeon derrière le piano. Ça tiraille dans tous les coins. Les animaux sont ivres de rage et jouent à la bataille de Verdun. Les balles s'enfoncent dans le piano et composent une curieuse mélodie en ré mineur. Peut-être bien que c'est une marche funèbre qu'ils exécutent à mon intention.

Tout à coup, Elsa hurle :

— Le patron est mort !

Comme par enchantement, il se fait un silence.

— C'est Schultz qui l'a tué, dit un type.

Schultz, c'est le faux journaliste. Il se met à pleurer. Le poivre que je lui ai offert doit l'aider dans cet exercice lacrymal.

— C'est pas ma faute, gémit ce crocodile, il m'a aveuglé.

— Ne tirez plus ! ordonne Martinet. Il nous le faut vivant.

Il précise aussitôt ses intentions.

— Nous lui arracherons les ongles, décide-t-il, puis nous lui ferons le truc de la baignoire, à ce salopard !

Vous vous en doutez, moi, derrière mon piano, je n'en mène pas trop large ; c'est un programme qui ne me séduit pas énormément et j'aimerais encore mieux assister à une pièce de Paul Claudel qu'à la petite cérémonie dont mon marchand de mort aux rats vient de parler.

D'un effort de reins je renverse le piano, ce qui me

donne un plus large paravent. S'ils ne me canardent plus, comme je suis dans un angle de la pièce, ils en auront pour un moment avant de me sortir de là.

Tout à coup, ma main touche quelque chose de rond sur le parquet. Je précise mon toucher et je découvre qu'il s'agit de la seringue que Martinet a laissé choir et, qui, par bonheur, ne s'est pas cassée en tombant.

Je m'en empare.

A peine l'ai-je en mains qu'un gorille apparaît par-dessus le piano : c'est mon copain Tom, le zigoto auquel j'ai cassé deux ou trois dents le jour où j'ai sonné chez Batavia.

Il s'apprête à enjamber l'obstacle et j'admire son postère.

Je ne peux résister à l'envie de lui planter l'aiguille dans le gras des fesses.

Il paraît ne rien sentir, mais soudain il devient tout chose, son visage se convulse, ses lèvres se vident et il bascule de mon côté. Je manque attraper ses deux cent trente livres sur la nuque. Heureusement, je fais un bond de côté et le gros Tom s'abat sur le tapis, tout flasque, comme une vache morte.

Je le regarde.

La drogue du faux Martinet est de première qualité, car je n'ai pas injecté le quart de la seringue et voilà pourtant cette grosse brute rayée de la société — où, soit dit entre nous, elle n'aurait jamais dû se présenter.

Je remarque que la poche de Tom fait une bosse significative. J'y plonge ma main et j'en sors un pistolet à barillet dont le magasin est plein... Avec ce jouet en ma possession, je me sens aussi fortiche que Mathurin après qu'il a avalé sa boîte de *spinage*.

Et si je faisais un carton ? histoire de me rendre compte si je suis toujours un as en la matière...

Je rampe de côté et glisse un œil prudent dans la pièce. Tous mes zèbres sont agenouillés en demi-cercle, face au piano renversé. Tous, à l'exception de la môme Elsa qui essaie en vain de ranimer Früger. J'en choisis un et le couche en joue. Pan! Il tombe, la figure en avant.

— Il est armé! hurle quelqu'un.

— On ne peut rien te cacher, dis-je en éclatant de rire.

CHAPITRE IX

JE SUIS VERNI

Il y a du flottement chez l'adversaire. Du reste, il ne cherche pas à dissimuler son désarroi.

Martinet — je continue à lui donner le nom qu'il a usurpé à mon malheureux collègue — prend la direction des opérations.

— Ne tirez plus ! ordonne-t-il, ou sinon, ce sera plein de flics d'ici dix minutes. Du reste, il faut se tailler car le quartier doit être en état d'alerte.

— Que faire ? questionne Elsa.

— Fuir par la sortie secrète. Mais auparavant, je veux liquider ce sale poulet. Allez me chercher un bidon d'essence à la cuisine.

Aïe !

S'ils emploient les grands moyens, je ne m'en tirerai pas. Le feu m'a toujours effrayé. J'ai vu un type flamber comme une torche dans un accident de voiture, et j'en ai gardé un très mauvais souvenir. Que faire ?

Peut-être que mes réflexes vont continuer à fonctionner.

En effet, j'arrache le cordon des rideaux et j'y fais un nœud coulant. Cela me donne une sorte de petit lasso dont je me sers pour attraper un bronze d'art sur la cheminée proche. Un type se précipite pour couper mon lasso, mais j'en profite pour lui expédier du plomb dans la poitrine, et il se demande s'il doit mourir ou accomplir son boulot. Il se décide pour la première solution.

Les autres se tiennent cois.

D'une secousse, je tire à moi le bronze d'art. Il représente une diane chasseresse, tout ce qu'il y a de bien moulée. Si j'avais le temps, je l'examinerais en détail, mais je suis pressé, je crois vous l'avoir fait comprendre — aussi je me hâte d'exécuter mon plan. Grâce à mon stylo à billes, j'écris un court message sur mon mouchoir. J'attache le mouchoir autour du cou de la diane, because je me propose de l'envoyer en course et je ne veux pas qu'elle s'enrhume. Puis je calcule une trajectoire extraordinaire et, de toutes mes forces, je balance le bronze à travers la pièce, en direction de la croisée.

Boum! Servez chaud!

La diane brise la vitre et va faire une balade dans la nature. Bon voyage!

— Tirons-nous, clame Martinet qui a compris l'astuce.

Et il vide son chargeur dans ma direction. J'attends, accroupi derrière le corps de Tom, que ses caprices soient passés. Puis je le vise à mon tour et je lui démontre qu'une seule balle, bien employée, est préférable à tout le stock de la manufacture d'armes de Saint-Etienne, si celui-ci est utilisé en dépit du bon sens.

Décidément, la journée a été bonne et j'ai bien travaillé pour mon copain de la morgue. S'il touche une prime par tête de pipe, il va pouvoir s'acheter un poste de T.S.F. à tempérament. En somme, il ne reste plus que trois gnafs et Elsa en face de moi. Encore, parmi les trois hommes, y en a-t-il un qui ne doit pas pouvoir lire le tableau des lettres chez l'oculiste.

— Passez-moi l'essence! ordonne Elsa.

— Décidément, lui fais-je, tu as des dispositions pour l'incendie.

Elle me répond par un flot d'injures et par un jet d'essence. La garce a tout prévu et a ramené ce dangereux liquide dans un seau. Je me déshabille en un tour de main, et, pendant qu'elle gratte une allumette, je roule mes fringues dans le tapis. Puis, je me recule dans la portion de parquet non arrosé.

Les belles flammes jaillissent. On dirait un feu de joie. Je risque le paquet et je saute par-dessus le piano.

Heureusement, la pièce est vide. Les survivants se ruent dans le couloir et ne s'occupent plus de moi. En slip et le pistolet au poing, je les prends en chasse. Ils atteignent la cuisine, Elsa ouvre un placard, tire un levier et, comme dans les romans policiers, le placard glisse en arrière, dégageant une étroite ouverture dans laquelle mes lascars s'introduisent. Ils sont en file indienne dans un escalier étroit. D'en haut, je les domine tous.

— Haut les mains ! Bande de ceci et cela !

Comme ils hésitent, je tire dans les pattes du métèque qui voulait jouer à la guerre avec moi sur la falaise. Aussitôt les autres obtempèrent et lèvent leurs jolies mains.

— Et maintenant, ne bougez plus, leur conseillé-je.

Ça ne dure pas trop longtemps. Bientôt les flics s'amènent avec du matériel de camping. La statue de bronze est tombée au milieu de la chaussée. Les badauds ont trouvé mon S.O.S. et ont téléphoné à Police-Secours. Je peux laisser tomber la pose... Je commençais à prendre des fourmis dans l'épaule, à force de brandir le soufflant du gros Tom. Pendant qu'on embarque ces jolis cocos et que les pompelards arrivent pour éteindre le début d'incendie, je demande à un agent de me prêter sa pèlerine. Je suis tellement bien constitué que si je sortais en slip dans la rue la circulation serait aussitôt interrompue.

Ainsi accoutré, je me fais conduire à la Sûreté où je retrouve Favelli et Baudron.

Ces bons amis se rongeaient les ongles en se demandant ce que j'étais devenu. Pour énième fois, je suis obligé de relater mes aventures. Ils m'écoutent religieusement. A leurs yeux, le père Noël est un petit rigolo, comparé à San-Antonio.

Le chef de la Sûreté fait son entrée. Quelqu'un l'a déjà prévenu de mon retour et il n'a pas eu la patience de m'envoyer chercher. Il appelle tous ses sous-officiers et leur dit de me regarder et d'aller chanter mes louanges à travers l'univers. En attendant, il m'invite à un gueuleton terrible pour fêter, ce soir, mon éclatante victoire.

Je lui dis que c'est d'accord, à la condition qu'il me trouve des vêtements. Je lui fais remarquer qu'à la cadence de deux complets par jour, il faudra que le ministère de l'Intérieur vote des crédits spéciaux pour m'habiller.

Tout le monde est de bonne humeur et me tape sur l'épaule.

Je savoure les congratulations avec la nonchalance d'un gladiateur qui viendrait de nouer les pattes à une douzaine de lions affamés.

Il faut reconnaître qu'en trois jours, j'ai fourni un fameux travail.

Mais maintenant je vais me faire octroyer quelques jours de vacances.

TROISIÈME PARTIE

VOILA LE TRAVAIL !

CHAPITRE PREMIER

LA BELLE VIE

Est-ce que ça vous est arrivé, à vous, de vous réveiller un matin, avec la sensation d'être heureux, vraiment heureux, et avec la certitude de pouvoir vous balader à travers le monde, comme dans votre appartement ?

Sinon, vous ne savez pas ce que c'est que la volupté authentique et vous pouvez toujours essayer de fumer de l'opium ou d'embaucher des belles de nuit pour vous distraire.

Ce matin-là, je me sens reposé et neuf. Voilà deux jours que l'affaire est terminée.

Je suis en vacances, c'est-à-dire que j'ai reçu un mandat et un télégramme de félicitation m'accordant un repos illimité, mais je ne me leurre pas ; illimité chez les chefs, ça ne va jamais au-delà de huit à dix jours. Avouez que huit jours sur la Côte c'est toujours bon à prendre. Parce que, je réalise mon rêve : je vais à Nice. J'ai écrit à ma vieille Félicie une longue lettre dans laquelle je lui dis que je compte tirer une petite bordée et où je lui joins une recette pour la bouillabaisse.

Donc je suis à jour.

Le gang d'espionnage est anéanti. Les survivants se sont mis à table et ont donné tous les détails sur l'organisation. Je peux vous éclairer : Früger était le chef de réseau. Il dirigeait tout le secteur de la côte. Le gang était chargé des indications maritimes et correspondait avec un comité situé en Espagne. Grâce à Elsa et à ses copains, nous obtenons l'adresse de vagues comparses.

J'ai réussi là le plus beau coup de filet de ma vie. Les journaux titrent sur quatre colonnes...

La vie est belle.

Je me suis offert un petit mâchon au wagon-restaurant. Dans ces popotes-là, la cuisine n'est jamais fameuse, mais il y a toujours des boissons à la hauteur. Chaque fois que je mange chez Cook, je ne manque pas de me laisser verser un double Martini et un double cognac.

Comme je vais au dernier service, je ne quitte pas la voiture restaurant après le repas. Je commande un deuxième café filtre et je le déguste en regardant la mer qui pétille sous le soleil. Je chasse de ma pensée la série d'aventures que je viens de traverser. Mais cette affaire est aussi tenace qu'une mouche à viande et elle me harcèle sans trêve.

A un certain moment, je sursaute. Le garçon croit que je l'appelle et se précipite.

— Monsieur désire quelque chose ?

Ce que je désire, c'est un bureau de poste, mais comme le serveur ne peut pas, malgré son désir de me satisfaire, m'en apporter sur un plateau, je le congédie d'un signe de tête.

Je viens de me rappeler que Favelli n'a pas communiqué les résultats de l'expertise que je lui avais demandé de pratiquer sur l'appareil téléphonique. Vous allez m'objecter que la chose importe peu puisque toute la bande est liquidée, mais je suis un scrupuleux dans mon genre et je n'aime pas laisser des portes ouvertes derrière moi. Vous saisissez mon tempérament ?

En tout cas, il s'agit là d'une question bénigne, qu'un coup de téléphone, en arrivant à Nice, me permettra de liquider.

A trois heures de l'après-midi, je déambule sur la

promenade des Anglais. Je ne me presse pas. Il y a des moments où on aime se baguenauder sans penser à rien. Je savoure l'odeur du large, la senteur des mimosas et je me sens devenir poète. Que voulez-vous faire de mieux à trois heures de l'après-midi à Nice ?

Enfin, je pénètre dans un grand établissement où il y a de la musique. Je commande un jus d'ananas comme une petite fille et je dis au gérant de me demander la Sûreté de Marseille.

L'orchestre de cette brasserie est excellent. Il y tâte particulièrement pour les sambas. Et la samba, moi, j'aime ça, parce que ça vous tient éveillé. Après la samba, les musiciens attaquent un blues, ensuite une valse anglaise qui me fait bâiller. A ce moment, le gérant vient me dire à l'oreille que j'ai Marseille.

Par chance, Favelli vient précisément d'arriver à son bureau. Je me fais connaître, lui pose la question qui me turlupine. Aussitôt il s'exclame que je suis un type qui, avec beaucoup d'autres choses, a de la suite dans les idées. Il m'apprend que les empreintes relevées sur l'appareil m'appartiennent, mais qu'il y en a une autre série par-dessus et que cette dernière ne correspond à aucune de sa collection.

Je lui conseille de vérifier illico si le propriétaire de ces fameuses empreintes ne se trouve pas parmi les membres du gang qui sont répartis soit à la morgue, soit au dépôt. Je lui explique que dans le cas contraire, cela indiquerait qu'un personnage important n'a pas été mis hors d'état de nuire.

Il m'assure qu'il va mettre un de ses hommes là-dessus et que, d'ici une paire d'heures, il sera en mesure de me communiquer sa réponse. Il me demande à quelle adresse il doit le faire.

Je réfléchis et lui propose de m'envoyer un télégramme à l'hôtel *Bellevue*.

C'est d'accord.

Je raccroche et retourne dans la salle. Sous l'estrade des musiciens se trouve une petite piste de danse, où quelques

couples légèrement vêtus s'entortillent dans un slow plus
sucré qu'un bocal de miel. Ces gens-là ont de la chance de
pouvoir danser avec une chaleur pareille. Je leur jette un
regard d'admiration.

Et je sens que mon visage s'illumine comme on dit dans
les bouquins. Moi, je n'ai jamais vu des visages s'illuminer
mais je trouve l'expression intéressante.

Devinez qui est en train d'évoluer là-bas? La môme
Julia. Mon cœur se met à cogner ferme. On dirait qu'il
veut s'évader de ma poitrine pour galoper vers Julia. Ma
sirène blonde danse avec un bonhomme qui a été fabriqué
avec du buvard mâché. Ce gars-là doit être anglais ou
quelque chose dans ce genre. Il porte un pantalon à
carreaux et un sweater blanc sur une chemise jaune citron.
Sa figure est ramollie comme celle d'une poupée de cire
qu'on aurait oubliée sur un radiateur électrique. J'ai
l'impression que, lorsqu'il bâille, ses dents doivent en
profiter pour filer en douce. Où donc Julia a-t-elle été
pêcher ce vieux têtard?

J'attends que la danse soit achevée, et que le couple qui
m'intéresse ait regagné sa table. Alors je quitte ma place et
je m'approche, le sourire aux lèvres.

— Alors, Juju! comment va cette chère petite santé?
Elle sursaute.

— Tonio! Non, pas possible?

— Ne vous avais-je pas promis ma visite pour un de ces
quatre? Eh bien, le jour de gloire est arrivé.

— Ce que vous êtes amour! Asseyez-vous et permettez-moi de vous présenter au docteur Silbarn, de Chicago.

Elle se tourne vers son fossile.

— Le fameux commissaire San-Antonio.

Le spectre me tend la main et je me dépêche de la lui
serrer avant qu'elle ne soit complètement desséchée.

CHAPITRE II

L'AMOUR SANS EAU FRAÎCHE

— Alors, docteur, dis-je, vous arrivez de Chica ?

— Yé, me dit le toubib. Je n'avais pas revu la Côte d'Azur depuis la déclaration de guerre. C'est le pays le plus, comment dites-vous ? Formidable in the world !

— Je connais Chicago. J'ai même un pote à moi qui tient un drugstore sur les bords du Michigan.

Je lui explique l'endroit et ça se trouve qu'il le connaît aussi. Nous nous mettons à discuter à perte de vue sous le regard amusé de Julia.

— Alors, me dit-elle, profitant d'un trou dans la conversation. Comment vont les assassins, commissaire ?

— Couci-couça !

— C'est vrai ce que les journaux ont raconté ? Que vous avez pulvérisé cette bande d'espions-gangsters ?

— Pour une fois, ils n'ont pas dit trop de sottises.

— Vous êtes le Nick Carter de l'époque, alors !

Je mets ma main sur son poignet.

— Oh ! ça va, ma déesse, ne me mettez pas en boîte et parlons plutôt de vous. Vous avez retrouvé papa-maman ?

— Comme vous me l'avez conseillé.

— Parfait ! Ils ont été heureux de revoir leur petite gosse adorée ?

— Fous de joie. Je leur ai raconté mes aventures. Ils vous témoignent une reconnaissance éperdue, vous allez venir dîner à la maison ce soir, n'est-ce pas ?

— Il ne faudrait pas trop insister pour que je dise oui.

Elle envoie un baiser dans l'espace.

— Ce que vous êtes chou... Mon père va faire tirer un feu d'artifice en votre honneur...

Ce docteur machin-chose de Chicago n'est pas si ramolli qu'il en a l'air car il comprend tout de suite que nous aimerions demeurer en tête à tête.

— Permettez-moi de me retirer, dit-il à Julia.

— Vous rentrez à la maison, Doc ?

— Oui. Et je préviendrai vos parents de l'arrivée du commissaire.

Il s'éloigne.

Une fois seuls, je change de place et je m'assieds sur la banquette, aux côtés de Julia.

— Il a une bonne trogne, votre toubib, lui dis-je, comment le connaissez-vous ?

— C'est un ami de papa. Ils sont en affaires ensemble.

Elle m'apprend que son père possède un laboratoire de produits pharmaceutiques et qu'il fabrique une spécialité du docteur Silbarn, employée contre la chute des cheveux.

Comme je me fiche de la vie privée de son papa autant que de la première molaire de Mazarin, je laisse tomber le questionnaire. Je passe mon bras sur le dossier de la banquette. Et ce mouvement tombe très bien, car justement ma compagne a la tête appuyée contre. De la main je ramène sa chevelure blonde contre mon épaule et je regarde le soleil qui est en train de fondre dans la mer. Comme c'est beau !

J'ai la flemme de faire partager mon admiration à la petite, mais elle doit éprouver du vague à l'âme également, je le comprends à la façon dont elle se blottit contre moi.

Pour la première fois de ma vie, je me sens une âme de petit garçon et je ne pense à rien. Je savoure simplement un instant d'une extraordinaire qualité.

— Dites-moi, chérie, si nous allions nous promener dans les environs ?

— Ça tombe bien, approuve-t-elle, j'ai justement ma voiture.

La lotion capillaire doit rapporter gros, car Julia possède un joli petit carrosse. C'est une Talbot décapotable peinte en crème avec des coussins de cuir assortis.

— Voulez-vous conduire, Tonio ?

Je m'installe derrière le volant. Julia noue une écharpe de soie autour de sa tête et, comme tout à l'heure au café, appuie celle-ci sur mon épaule.

Nous roulons le long de la mer. Une brise embaumée flotte sur ce coin de Paradis. Bientôt, nous sommes hors de la ville et nous atteignons un endroit escarpé.

J'arrête la Talbot. J'ai repéré en contrebas de la route une sorte de petite crique déserte, cernée de pins paraols et de roches rouges. Le coin fait un peu chromo de bazar, mais il est rudement gentil. Nous y descendons et nous nous asseyons sur la mousse.

— On est bien, dis-je à Julia.

Elle ne trouve pas ma phrase trop toquarde et me regarde d'un air chaviré.

— C'est pour moi que vous êtes venu, darling ?

— Oui, ma chouquette.

— Pour moi toute seule ?

— Parole d'homme.

— Oh ! murmure-t-elle, c'est merveilleux, chéri, tout à fait merveilleux.

Comme ses lèvres ne sont pas trop éloignées des miennes, je calcule la distance qui les sépare. Et je m'aperçois qu'il suffirait que j'incline légèrement la tête pour que cette distance-là n'existe plus. Julia fait un bout du chemin à ma rencontre.

Le soir tombe sur la mer, il s'y couche plutôt comme une chatte heureuse sur un coussin de soie bleue...

Comment trouvez-vous cette image ?

Il y a des types qu'on a flanqués à l'Académie française

pour moins que ça. Je suis sûr que, si je voulais m'en donner la peine, j'arriverais à des résultats appréciables en littérature.

La nuit est complètement tombée lorsque nous quittons la petite crique.

Nous remontons dans l'auto, et je pédale à fond, car je veux passer à mon hôtel pour prendre un bain et me changer avant d'aller chez les ancêtres de ma sirène blonde.

Nous revoici à Nice, illuminée comme pour le carnaval.

Quelle belle ville !

Du reste, je suis dans un état d'esprit à trouver le monde entier épatant.

Vous croyez que c'est l'amour, vous ?

CHAPITRE III

UNE DIGESTION LABORIEUSE

Je conseille à Julia de rentrer chez elle où je lui promets de la rejoindre une heure plus tard.

Nous nous séparons sur un dernier baiser.

Je traverse le hall de l'hôtel et vais demander à la caisse si un télégramme n'est pas arrivé à mon nom. L'escogriffe habillé en chef de jazz me tend un rectangle de papier bleu.

Je l'ouvre :

« CONFRONTATION GENERALE DES EMPREINTES NEGATIVE ».

Donc, mon instinct ne m'avait pas trompé : le gang n'a pas été totalement anéanti. Donc, même en vacances, San-Antonio est bien le type qui remplace la margarine.

Je me fais monter un cognac et je l'envoie en mission dans mon estomac tandis que coule mon bain.

Avouez que des flics aussi consciencieux, on n'en trouve plus que dans les manuels, car enfin me voici en vacances, largement pourvu de gloire, d'amour et d'argent, et rien ne m'oblige à me cailler le sang pour cette bande d'espions que j'ai dispersés. J'ai beau me pénétrer de ce raisonnement, mon cerveau est constitué de telle manière qu'il ne peut fonctionner vraiment qu'au service d'une énigme.

Et comme énigme ça se pose là.

Je reprends mon raisonnement par le manche. J'ai téléphoné au *Colorado*; après moi quelqu'un a utilisé l'appareil pour donner l'ordre à Batavia de me buter. Ce quelqu'un était un chef, pour prendre une décision pareille. Or ses empreintes ne correspondent avec aucune de celles prélevées sur les membres, morts ou vivants de la bande. En conséquence, il reste un personnage en circulation, dont la place est derrière de solides barreaux ou mieux encore, devant douze canons de fusils. Eh bien, moi, je vous le dis, tant que ce dégourdi-là ne sera pas nourri aux frais du gouvernement français, je ne serai pas tranquille.

En grommelant, je prends mon bain. Puis je m'habille. Je mets une chemise bleue pervenche avec une cravate jaune pâle et un costume de flanelle bleu roi. Si vous pouviez me voir, ainsi sapé, vous téléphoneriez aussitôt à tous les tailleurs de France pour essayer de dégoter le même ensemble.

Je mets un peu de parfum sur mes revers. C'est un machin assez subtil qui s'appelle *Vitalité*. Lorsque je le renifle, je pense à des trucs tout à fait romantiques.

Me voilà fin prêt. Je passe un coup de bigophone au portier pour lui demander d'aller me chercher des fleurs et de me commander un taxi.

Les parents de Julia se nomment Nertex. Ils possèdent une baraque un peu moins grande que le palais de Versailles dans les environs de Nice. Ce sont des gens charmants, un peu maniérés peut-être, mais qui ont la notion de l'hospitalité poussée à un très haut degré.

Je fais un baisemain à la maman en fermant les yeux pour ne pas être aveuglé par l'éclat de ses brillants et je me laisse broyer les cartilages par le dab. Ce brave homme me congratule pour m'exprimer sa reconnaissance. Il profite de l'occasion pour laver la tête à Juju qui, à son avis, a l'esprit trop indépendant.

La dame de mes pensées a l'air de se moquer des remontrances paternelles comme d'une tranche de melon gâté. Elle me couve d'un regard tendre qui me fait passer un voltage terrible dans l'épine dorsale.

Enfin, nous passons à table en compagnie du docteur américain qui ressemble à un gorille. Le menu est savoureux. Il y a des médaillons de bécasse, un gratin de langoustes et du chevreuil en civet. Je mange deux fois de tout. Je crois que ma promenade en voiture m'a ouvert les portes de l'appétit à deux battants. Je raconte mes enquêtes. Grâce au Pommard 1928, je trouve des anecdotes sensationnelles qui font frémir ces dames et s'exclamer les hommes.

Je passe une excellente soirée. Pour couronner ce dîner digne des Chevaliers de la Table Ronde, M. Nertex dit au maître d'hôtel d'apporter la fine Napoléon. En même temps, il me présente une boîte de cigares aussi grande que la caisse d'une machine à écrire portable. Ce sont des cigares brésiliens, tellement gros qu'une fois que j'ai achevé le mien, on pourrait jouer à la grenouille avec ma bouche.

L'ambiance est très réussie. Lorsque je prends congé de ces messieurs-dames, sur le coup de minuit, je suis dans un état euphorique épatant. Je décide de regagner mon hôtel à pied, afin de pouvoir me gaver d'étoiles et de brise parfumée. Et puis, entre nous, rien de tel qu'un peu de footing lorsqu'on a bien mangé et bien bu.

Je fais mes adieux. Ceux-ci ne sont pas trop émus, car les parents de Julia me réinvitent pour le lendemain. Ils me proposent même de passer la durée de mes vacances chez eux, mais je refuse car je tiens à ma liberté. Je leur serre la pogne et Julia me dit qu'elle me téléphonera le lendemain afin de convenir d'un rendez-vous pour l'après-midi.

J'avance tranquillement sur la route. D'où je suis, je domine la ville et j'aperçois la mer qui tremblote sous la lune. De temps à autre, je m'arrête *pour goûter la magnificence du paysage et la majesté de la nuit.* C'est une phrase que j'ai lue dans un bouquin de Claude Farrère, et, comme je l'ai trouvée jolie, je l'ai apprise par cœur. Je respire à pleins poumons. Il faudra que j'envoie une carte postale à Félicie demain matin.

Parvenu à mon hôtel, je me couche et m'endors.

Je ne saurais vous dire ce qui m'a éveillé...

Je crois que c'est l'instinct de conservation, si développé en moi. Toujours est-il que je reprends mes esprits avec une vague sensation d'angoisse. Est-ce le bon dîner des Nertex qui me donne des troubles d'estomac? J'allume et je me mets sur mon séant. La lumière ne calme pas mon appréhension, je trouve la pièce plus hostile. Je me lève et examine la porte : le verrou est tiré. Je vais à la fenêtre; les volets sont mis et il n'y a pas de balcon. Je jette un coup d'œil dans la salle de bains; celle-ci est vide.

Alors?

Alors, il se peut que je sois un vieux croquant, et pourtant, la petite sonnerie d'alarme qui tinte en moi ne se calme toujours pas. Je regarde ma montre : il est minuit et demi. Je la repose sur le marbre de la table de chevet et allume une gitane.

Le mieux qu'il me reste à faire est encore de me faire grimper un flacon de cognac et de le vider. Peut-être qu'après je m'endormirai normalement. Pourtant, je devrais pioncer ferme, avec la longue trotte que j'ai faite à pied.

Je m'arrête pile de penser et de bouger. D'un seul coup, je comprends trop de choses à la fois. Il me faut un bon moment pour ordonner, pour canaliser cela en moi. Voilà : je viens de songer à la longue promenade du retour, il m'a fallu au moins une heure pour revenir de chez Nertex, et, lorsque j'en suis parti, il était plus de minuit, donc ma montre me bourre le crâne en m'indiquant minuit et demi. Vous me suivez bien? Or, si elle marque minuit et demi c'est qu'elle est arrêtée, et *si elle est arrêtée, ce n'est donc pas son tic-tac que j'entends.*

Ma respiration se coince. Mon ouïe devient l'organe

capital de mon individu. J'entends ce bruit, ce battement de cœur artificiel qui n'est pas celui d'une montre et qui a frappé mon subconscient. Un bruit qui me rappelle quelque chose... c'est-à-dire le tic-tac d'une bombe.

Je me rends à l'évidence ; il y a une bombe dans ma piaule ! A force de prêter l'oreille, son bruit, pourtant imperceptible, est un fracas pareil à celui des chutes du Niagara.

Mon premier réflexe est de me tirer à la vitesse d'un avion à réaction, mon second (celui du flic) est de chercher la bombe. C'est à ce dernier que j'obéis. Je me fiche à quatre pattes et je regarde sous le lit. Je ne vois rien. Cependant le tic-tac est là... tout près. Mes cheveux se hérissent. Peut-être que dans un cent millième de seconde je vais être réduit en si petits morceaux que les pompiers seront obligés de passer du papier buvard sur les murs pour me récupérer. J'ouvre le tiroir de la table de chevet : rien non plus. Je m'affole. Où ces enfants de ceci et cela ont-ils planqué leur tabatière à remontoir ? Je soulève le matelas : la bombe est là ; douillettement couchée sur le sommier. Heureusement, j'ai aussi des talents d'artificier. Je commence par couper le fil qui unit le détonateur à l'explosif, puis je désamorce l'engin. Après quoi je vide ma boîte à chaussures et je place la bombe à l'intérieur.

J'éponge mon front emperlé et je vais achever ma cigarette à la fenêtre, histoire de réfléchir à cette nouvelle aventure.

Ensuite, je me recouche et j'en mets un coup pour de bon !

CHAPITRE IV

DES IDÉES A MOI

Le lendemain, lorsque je saute du lit, je m'aperçois que j'ai un fameux retard sur le soleil. Il est, en effet, plus de dix heures. Je fais ma toilette en sifflotant, et j'achève tout juste de me laver les dents au moment où le téléphone sonne. C'est Julia.

— Hello! Tony! gazouille-t-elle, vous avez bien dormi?

— Très bien, j'ai même rêvé à une colombe de mes relations.

— Ah! Ah! Et peut-on connaître le thème général de votre rêve?

— Si je le racontais par téléphone, toutes les demoiselles des P.T.T. donneraient leur démission et viendraient regarder de près comment c'est foutu, un type qui possède une pareille imagination.

— Sans blague!

— C'est comme je vous le dis!

Je l'entends rire, à l'autre bout. Son rire ressemble au bruit d'une source. Je me souviens avoir fait cette comparaison dans une composition française, et le prof m'avait balancé dix sur dix. Je l'imagine — pas le prof, mais Julia — avec son déshabillé qui doit être rose ou bleu. Il me semble que je tiens ses cheveux dans mes doigts et que je les fais couler sur mes mains comme de l'or en fusion. Une fille pareille, croyez-moi, c'est quelque chose. Et si vous pouviez vous en faire une idée précise où que vous soyez, vous prendriez l'avion pour Nice.

Nous échangeons des paroles définitives, lesquelles ne vous regardent pas. Enfin, je me décide à raccrocher après avoir fixé rendez-vous à la femme de ma vie à midi, car nous devons déjeuner ensemble.

Je ne m'inquiète pas outre mesure pour l'attentat de cette nuit. Il m'en faut davantage pour me faire perdre le nord.

Je finis de me harnacher et je sors de ma délicieuse chambrette en tenant ma boîte à chaussures sous le bras.

Maintenant, il faut que je vous dise que si vous pensez que je vais à la pêche sous-marine avec ma petite bombe à retardement sous le bras, vous vous trompez royalement.

Je descends à la caisse et je demande à parler au gérant. On me fait entrer dans un petit salon discret, avec des airs de conspirateurs, et on me conseille de me laisser glisser dans un fauteuil en attendant.

Un quart d'heure plus tard, le gérant s'amène, il a un sourire si mielleux qu'on est surpris de ne pas voir une douzaine de mouches posées dessus. En se frottant les mains, il me demande ce qu'il y a pour mon service.

— Monsieur, lui dis-je, j'ai roulé ma bosse aux quatre coins du monde. J'ai couché dans les plus baths hôtels d'Amérique comme dans les plus sales bouges d'Italie. J'ai vu des quantités de plumards : des rembourrés et des affaissés. J'ai trouvé dans ces lits une foule de bestioles et d'objets : des puces, des cafards, des punaises, des scorpions, des hannetons, des portefeuilles, des dentiers, des pistolets et d'autres choses que je j'oserai pas vous nommer parce que je suis poli, mais jamais, vous m'entendez ? jamais il ne m'est arrivé de découvrir une bombe dans mon pageot.

Ce disant, je couronne ma péroraison en ouvrant ma boîte à chaussures.

Il y penche son nez pointu et se met à contempler ma trouvaille avec les yeux d'une cigogne qui découvrirait un chauffe-bain dans son nid.

Il est évident que ce gentleman n'a jamais fait la guerre

et qu'il s'y connaît autant en armes variées que moi en gynécologie.

— Co... comment, bégaye-t-il, vous avez trouvé ça...

— Dans mon lit, oui.

— Et c'était chargé ?

— Je l'ai désamorcé de mes mains.

— C'est inimaginable.

— Et pourtant, c'est vrai.

Je me repais un moment de son air abasourdi et lui pose la main sur l'épaule.

— Ecoutez-moi, mon bon monsieur. Je suis le commissaire San-Antonio, et j'ai l'habitude qu'on me fasse des blagues. Seulement, j'ai la faiblesse, assez compréhensible, n'est-ce pas ! de vouloir en découvrir les auteurs. Je ne tiens pas à faire du scandale, et il n'y aura aucun tamtam autour de votre boîte si vous m'aidez.

Il se plie en deux à tel point que je crois qu'il va embrasser ses godasses et il commence à me faire un baratin, aussi long qu'un rapport d'huissier, pour m'assurer de son entier dévouement.

— C'est bon, lui dis-je, non sans noblesse. Commençons donc par le commencement : êtes-vous sûr de votre personnel ?

— Comme de moi-même. Ce sont des garçons d'étage attachés depuis plusieurs années à l'établissement.

— Soit. Qui donc alors peut avoir accès aux chambres ?

— Personne.

— Personne ! Venez avec moi.

Je l'entraîne dans le hall et lui fais signe de ne pas bouger. Je m'approche de la caisse et je dis, d'une voix morne : « 28 ». Docilement le portier me tend le 28.

Je reviens auprès du gérant.

— J'ai la chambre 27, lui dis-je, et pourtant voici la clé du 28. Il y a deux cents chambres dans votre clapier, comment voulez-vous que le préposé au tableau se souvienne des locataires de chacune ?

Mon interlocuteur se gratte le blair d'un air gêné. Ma petite démonstration le laisse baba, cet homme.

— Alors ? questionne-t-il, vous pensez qu'un des locataires de l'hôtel a utilisé votre clé ?

— Sans doute. A moins, cependant, qu'il n'ait eu un passe-partout, vos serrures ne sont pas très compliquées.

— Qu'allez-vous faire ?

— Attendre. La nuit prochaine, vous allez me donner la chambre située en face de la mienne, sans toutefois louer cette dernière. Et je veux que personne, vous m'entendez ? personne ne soit au fait de ce déménagement.

— Comptez sur moi, monsieur le commissaire.

Je le salue d'un petit signe de tête et je quitte l'hôtel en fredonnant un air de booggie-wooggie.

Je vais à Air France pour étudier les horaires des Dakotas pour Marseille. Je constate qu'en partant à deux heures de l'après-midi de Nice, je pourrais être de retour à huit heures ce soir. Tout va bien.

Oublions les préoccupations de l'heure et allons au rendez-vous de ma princesse lointaine.

Justement, elle m'attend déjà dans une petite robe mauve qui semble peinte sur elle tellement elle la moule. Ses yeux ressemblent à deux pastilles de nuit d'été, découpés dans du satin. Je vous jure qu'au bras de cette gosse, on n'a pas l'air d'un marchand de frites.

Nous échangeons des politesses d'usage avant d'aller déjeuner. J'ai une faim de cannibale. A vrai dire, j'ignore si les cannibales ont de l'appétit, il faut croire que oui, étant donné les denrées qu'ils se glissent sous les molaires.

Nous passons deux heures exquises. Non seulement Julia est belle à commotionner un centenaire, mais c'est aussi une des filles les plus spirituelles que je connaisse.

Je lui demande la permission de la laisser choir et je me fais conduire à l'aéroport.

CHAPITRE V

CONVERSATIONS

Au moment où je pénètre dans le bureau de Favelli, celui-ci est en train de questionner un prévenu. Je me rends compte que mon collègue n'est pas un garçon absolument patient, car il flanque autant de beignes sur le museau de son client qu'il y a de virgules dans ce livre.

En me voyant entrer, il se lève.

— San-Antonio ! Déjà de retour !

Je lui en serre cinq.

— Il ne s'agit que d'un petit raid, je reprends l'avion pour Nice tout à l'heure, mon bon. Ce soir, je dîne dans le monde.

— Et qui me vaut la joie de vous revoir ?

— C'est toute une histoire.

Il m'envoie une bourrade.

— Comme d'habitude, hein ? Sacré farceur !

Il ordonne à ses poulets d'aller mettre au frais son loustic et il me fait signe de poser la partie de mon individu destinée à cet usage sur son fauteuil tournant, tandis que lui-même s'assied à califourchon sur une chaise.

— Alors ?

En détail, je lui relate l'attentat dont j'ai été victime cette nuit.

Il m'écoute sans bouger les lèvres, puis il me demande très gravement :

— Entre nous, mon cher ami, vous n'avez jamais eu envie d'envoyer balader la police ?

— Si, lui dis-je, très souvent, lorsqu'on discute mes notes de frais.

— Phénomène, va ! En somme vous êtes venu ici avec une idée précise en tête ?

Je déballe ma boîte à chaussures et j'en sors la bombe.

— Il se peut qu'il y ait des empreintes, là-dessus...

— Parbleu...

Il passe un coup de tube au laboratoire et y fait porter l'engin par un de ses sous-fifres.

— Dans quelques minutes nous serons fixés.

Pour tuer le temps, nous grillons des cigarettes.

— Vous croyez, s'informe-t-il, que la bande n'est pas entièrement détruite ?

— Il me semble que la preuve nous en a été fournie.

— Certes, mais une chose me trouble et me chiffonne, San-Antonio, c'est que, malgré que votre enquête soit terminée, on cherche à vous faire le coup du père François. C'est maladroit, car, en se manifestant, ces espions, non seulement nous prouvent qu'ils ne sont pas tous arrêtés, mais encore ils nous provoquent.

— Oui, dis-je, votre remarque est pertinente, Favelli, seulement il y a un hic : *les membres du gang qui demeurent en liberté ne savent peut-être pas que j'ai terminé mon enquête.*

Je fais pivoter mon fauteuil et je mets mes pieds sur un siège voisin. J'allume une nouvelle gitane.

— Ce n'est pas tout ça, poursuis-je : vous allez être gentil et téléphoner à la police de Nice pour lui dire qu'elle m'accorde toute l'aide dont je peux avoir besoin.

Il décroche et réclame Nice au standard. On le lui donne presque aussitôt. Je n'écoute pas toute la kyrielle d'éloges qu'il débite sur mon compte. Je trouve plus passionnant de réussir des ronds de fumée. J'en suis à mon douzième, lorsqu'il se tourne vers moi, l'air satisfait.

— Les voici prévenus, assure-t-il. Vous pouvez faire appel à eux à n'importe quelle heure et dans n'importe quelles circonstances.

— Parfait !

On frappe à la porte vitrée. C'est un garçon du labo qui apporte les résultats. Il me tend un cliché tout frais.

— L'homme qui a manipulé cette bombe était ganté, dit-il. Malheureusement il a fait un accroc à son pouce gauche en branchant le détonateur. Il portait des gants de daim, nous en avons remarqué des parcelles après le fil du détonateur. Il a laissé une empreinte assez bonne sur la partie de la bombe destinée au réglage.

— C'est tout ? questionne Favelli.

— C'est tout, commissaire.

Mon collègue a la même pensée que moi. Il ouvre un dossier et en sort une autre photographie d'empreintes. Je n'ai pas de mérite à deviner qu'il s'agit de celles découvertes sur l'appareil téléphonique au *Colorado*.

— Regardez !

Je me penche sur les images. Il n'y a pas besoin de sortir de Sorbonne pour constater que ce sont les mêmes.

Donc l'homme qui a donné l'ordre de me descendre le premier soir et celui qui a voulu me déguiser en feu d'artifice cette nuit ne font qu'un.

Moi qui ai horreur des gens qui s'intéressent trop à ma personne, je suis à mon affaire.

Cette confrontation des empreintes n'a pas demandé beaucoup de temps. Plutôt que d'aller au cinéma, je préfère muser dans Marseille.

Quelle ville ! Je propose à Favelli de m'accompagner.

— Où ça ? demande-t-il en riant.

Il ajoute qu'avec moi, on peut s'attendre à déclencher simultanément tout ce que la ville compte comme pistolets, néanmoins il attrape son chapeau et se couronne roi des flics marseillais.

La rue Saint-Ferréol n'est pas loin. Pourquoi prendre cette rue comme but de promenade ? Tout bonnement parce que le Chinois y demeurait et que je serais curieux de visiter son appartement. Si le lecteur a assez de mémoire pour se souvenir qu'il a payé ses impôts de l'an dernier, il n'a pas dû oublier que j'avais pris les clés du pauvre Confucius, à la morgue, l'autre jour.

Le hasard a voulu que ce trousseau, je le glisse dans la poche de mon pantalon, ce qui l'a sauvé de l'explosion de l'hôpital, et qu'ensuite, je le laisse à mon hôtel, précaution sans laquelle il aurait été détruit avec mes fringues chez la belle Elsa.

Le hasard! Toujours lui... Moi je lui obéis aussi souvent qu'il m'obéit lui-même. J'ai vu une sorte de présage dans le fait que ces clés aient été épargnées au cours de mes récentes tribulations. Je me dis, avec un bon sens de maquignon normand, que si j'ai pu les conserver, c'est parce qu'il est dit que je dois m'en servir.

Ça vous paraît sans doute un peu simpliste comme raisonnement. Malgré toutes vos critiques, je m'entête à le tenir comme l'exemple type de ma philosophie.

L'appartement du Chinetoque se compose de deux pièces assez mal tenues : un studio et une cuisine. Favelli et moi commençons par fouiller consciencieusement de partout.

— Avez-vous une idée de ce que vous cherchez? me demande malicieusement mon collègue.

— Ecoutez, il se pourrait bien que ce magot ait eu de la drogue en sa possession. Lorsque je l'ai menacé d'une perquisition, il est devenu tout vert — ce qui est la façon de rougir des Chinois.

— D'accord, mais entre nous, qu'aurait à voir une question de drogue, à côté de celle qui nous préoccupe ?

— On ne sait jamais...

Nous continuons nos recherches. Et nous n'avons pas tort. Je pousse un cri de joie. A l'intérieur d'une statuette de Boudha, je déniche une petite boîte de lithinés, qui contient des étuis de messages par pigeons. A l'intérieur de ceux-ci, il y a une poudre blanche.

— Sentez!

Favelli pose son éteignoir sur l'ouverture d'un des tubes. Il renifle.

— Coco, murmure-t-il.

— Oui, coco... Cette fois tout s'éclaire.

— Ah ! oui ?

— Ben, voyons... Le type qui a été enterré rue Paradis faisait du trafic avec Su-Chang. Il devait être préposé à l'envoi des messages, et il utilisait ce mode de transport ailé pour véhiculer sa came, laquelle came était réceptionnée par un complice de Nice. Un jour, Früger, ou quelqu'un d'autre, a découvert le pot aux roses. Le gars qui devait avoir un tube vide sur lui, pressentant un « interrogatoire », a dissimulé promptement ce tube dans sa bouche. Il a dû être lessivé avant d'avoir pu allonger le Chinois.

Favelli pousse un gloussement de dindon.

— Vous avez mis dans le mille, mon vieux. Maintenant la lumière se fait. Je m'étais toujours demandé ce que signifiait ce tube dans le bec du mort.

Je regarde ma montre. L'heure du retour est proche.

— Je regagne Nice. J'espère que mon assassin aura bientôt une paire de bracelets nickelés aux poignets.

— Je l'espère aussi.

CHAPITRE VI

JE NE SUIS PAS UN CAVE

Le dîner chez les Nertex est aussi cordial que la veille ; la chère y est tout aussi choisie. Ces gens-là mettent les petits plats dans les grands pour me recevoir. Néanmoins, je suis moins loquace. Ma tension d'esprit est très forte, car j'ai décidé que cette affaire à ricochets serait terminée une fois pour toutes demain matin. Et si elle s'achève comme j'ai décidé qu'elle s'achèverait, je crois que mes amis Nertex et leur adorable Julia auront une belle surprise en buvant leur café au lait.

J'ai fait travailler ma matière grise à bloc ces temps-ci, et j'en suis arrivé à la conclusion que le fameux docteur Silbarn est aussi américain que je suis guatémaltèque. Je suis persuadé que ce bonhomme, avec sa figure d'éponge, appartient à la bande des espions et qu'il s'est introduit chez les Nertex sous prétexte de collaboration scientifique, pour se trouver un abri sûr. Il sera dit que ma douce Julia aura été la dupe jusqu'à la gauche.

Ça vous en bouche une tartine, hein ?

Vous devez vous demander sur quoi je me base pour affirmer de pareilles choses. Eh bien, voilà : lorsque j'ai parlé de Chicago et de mon pote qui tient soi-disant un drugstore, j'ai lancé ça au chiqué, parce que j'ai l'habitude de me documenter sur les magots dont la trompette ne me revient pas. En réalité, je n'ai jamais connu personne à Chicago, pour la bonne raison que je n'y ai jamais porté mes grands pieds. Pourtant le Silbarn est tombé dans le piège. Ensuite, j'ai remarqué tout à l'heure qu'il trimbalait sous son bras gauche un de ces machins qui ne sont pas en vente libre. J'ai fait cette constatation d'une façon fortuite. Nous buvions du porto dans la bibliothèque. Julia recherchait un bouquin dans un rayon du haut, elle a poussé un cri, parce qu'elle venait de faire basculer une pile de livres et que celle-ci oscillait sans qu'elle parvienne à la stabiliser. Silbarn qui se trouvait à côté s'est précipité. C'est au moment où il a levé les bras que je me suis rendu compte qu'il portait un Lüger dans une gaine de cuir. Drôle de trousse pour un médecin, vous ne trouvez pas ?

En épluchant une pêche aussi grosse qu'une boule d'escalier, je projette un petit coup fourré. Je me mets à parler d'un espion que j'ai arrêté l'an dernier à Lille et qui a passé à la casserole la semaine précédente.

— Une vraie gueule de tueur, dis-je, du reste j'ai encore sa photo sur moi.

Je sors la photo de mon oncle Ferdinand, que je promène dans un petit carnet et qui m'a déjà rendu pas mal de services, et je la présente à Mme Nertex, assise à ma gauche. La photographie fait le tour et me revient, il ne me reste qu'à la montrer à Silbarn. A ce moment-là, l'image me glisse des doigts et tombe dans le jus de ma pêche. Je m'excuse et l'essuie avec ma serviette, ceci pour effacer toutes les empreintes qui s'y trouvent déjà. Après quoi je la tends au toubib.

Quand il me la rend, je la remets précautionneusement dans mon carnet.

Après le dessert, nous passons au fumoir. Je ne sais comment je fais mon compte, mais je renverse ma tasse de café sur mon pantalon.

— Décidément, je suis un fichu maladroit ! m'exclamé-je.

Je demande la permission d'aller réparer les dégâts aux lavabos.

Si vous n'êtes pas une bande de pègreleux, vous avez déjà pigé que mes faux mouvements font partie d'un plan d'action préétabli. Dès que je suis isolé, j'examine la photo et la compare à la série d'empreintes photographiques que j'ai ramenées de Marseille.

Un beau sourire fend ma poire en deux.

Cette fois, ça y est, je tiens mon fameux zigoto : l'homme qui ordonne de me descendre et qui prend mon lit pour un terrain stratégique.

A nous deux, docteur Silbarn !

Un petit enfant qui vient d'obtenir la croix n'a pas l'air plus innocent que moi, au moment où je reviens au salon. Je me montre gai et enjoué. Je raconte un tas de blagues qui font rire mes hôtes jusqu'aux larmes. J'ai l'intense satisfaction de me laisser offrir une nouvelle fine Napoléon. Quel nectar !

Mon copain Silbarn boit modérément. Il est le premier à rire de mes saillies. Je le contemple d'un œil amical en rêvant à ce que je lui ferais si nous étions enfermés dans une cabine téléphonique. Croyez-moi, ce coco-là est un malin. Vous auriez plus vite fait de fendre en deux une enclume avec un marteau de caoutchouc que de surprendre sur son visage un reflet de ses pensées intimes.

Enfin, un adversaire à ma mesure !

Lorsque je prends congé, nous nous congratulons, lui et moi. Il me dit que je suis un conteur impayable et qu'il est de plus en plus ravi de m'avoir connu. Je lui réponds que pour moi c'est du kif au carré. Deux serpents qui se diraient des choses d'amour n'auraient pas l'air moins sournois. Julia me propose de me raccompagner en bagnole, et j'accepte.

Cette petite course nocturne me séduit. D'abord parce que ce n'est pas déplaisant de faire découvrir la Grande Ourse à Julia, ensuite parce que je vais avoir besoin d'elle pour posséder le faux Amerlock.

Nous filons bon train, les cheveux au vent. Ah ! ce que c'est bon de rouler le long de cette côte divine ! Les mimosas sentent bon, les palmiers frissonnent. La mer palpite sous le ciel de nuit.

— C'est épatant, dis-je à Julia... Je voudrais que ma vie se fixe à jamais sur cet instant.

— Ça ne dépend que de vous, Tony.

— Ah oui ?

— Pardi... Si, à votre prochaine paie, vous alliez acheter deux anneaux chez un bijoutier ?

Je la regarde.

— Non, sérieusement, Juju, ça vous botterait que nous jouions à papa-maman ?

— Oh ! Tony, vous le savez bien que vous êtes l'homme le plus extraordinaire du monde. Toutes les femmes doivent être dingues pour vous...

Je lui fais signe d'arrêter son bâtiment. Elle obéit.

— Vous voyez, dit-elle, j'ai les qualités nécessaires à une épouse.

Voilà des mots qui me font froncer les sourcils. Comme je suis bien embêté pour répondre, je trouve plus commode de lui prendre la tête dans mes mains et de me rendre compte si elle emploie du rouge baiser.

Dès que nous nous reculons pour reprendre notre respiration, je commence à lui exposer mes vues complètes sur le gang des espions.

— Où avez-vous connu Silbarn ?

— Il s'est mis en rapport avec papa, au sujet d'une lotion capillaire : le Lacpène...

— Vous y croyez, vous ?

— A la lotion ?

— Non, au docteur.

Elle me regarde et paraît écouter un discours en papou.

— Pourquoi ? finit-elle par questionner.

— Parce que votre Américain ne connaît pas l'Amérique ; parce qu'il n'est pas né de l'autre coté de l'Atlantique, mais de l'autre côté du Rhin ; parce que c'est un des chefs du service d'espionnage que je m'emploie à détruire depuis huit jours...

— Vous êtes fou !

— O que non !

Je lui relate par le menu les indices et les preuves que j'ai accumulés, à l'appui de mes dires.

La pauvre mignonne est bouleversée.

— Mais c'est horrible ! s'écrie-t-elle. Il faut prévenir la police. Cet individu ne doit pas demeurer une seconde de plus sous notre toit... Grand Dieu... par quel hasard ou quel maléfice sommes-nous mêlés à cette horrible histoire !

Je la calme de mon mieux.

— Ne vous cassez pas le dôme, Juju. Tout se tient dans l'existence. Vous avez, fortuitement, connu la bande de Marseille, ça a donné l'idée à ces foies-blancs de vous utiliser et d'utiliser votre famille. Votre père occupe une situation importante. Or ces gens-là sont traqués en France, ils ont besoin de garanties, de hautes relations, n'est-ce pas ?

Elle médite un moment en tapotant son volant.

— Mais c'est affreux, Tony, si ce sale bonhomme attentait encore à votre vie ?

— Pas de danger, il sera arrêté demain. J'ai sur moi assez de preuves pour l'envoyer contre un morceau de bois planté en terre d'ici très peu de temps.

— Et s'il se livrait à un nouvel attentat cette nuit ?

— Tout est prévu, mon amour. J'ai demandé au gérant de l'hôtel qu'il me donne, en douce, la chambre située en face de la mienne. De cette façon, rien à craindre.

— Tout de même, dear, faites attention.

— Soyez sans inquiétude.

Elle me conduit devant le hall de l'hôtel. Je lui fais d'ultimes recommandations.

— Surtout, ne prévenez pas vos parents. Il ne faut pas que Silbarn ait des soupçons. J'irai le cueillir demain à midi avec quelques flics niçois. J'ai vu qu'il était armé, aussi procéderai-je en douceur. Cependant, j'aimerais que vous sortiez, ainsi que votre mère, au moment de l'arrestation.

Nous nous faisons cadeau d'un dernier baiser.

CHAPITRE VII

LA VIE N'EST PAS TOUJOURS DRÔLE

Avant de monter dans ma chambre, je vais au bar et je demande au portier de nuit de me faire servir deux cafés filtres carabinés. Je juge opportun de me doper un peu, car je tiens à ne pas m'endormir cette nuit. Puis je m'introduis dans l'ascenseur et j'appuie sur le bouton du deuxième. Une fois dans le couloir, je m'arrête pour réfléchir. A partir de maintenant, mes faits et gestes vont être lourds de conséquences, je le pressens. Un faux pas et je pourrais bien me trouver dans un des tiroirs de la morgue, lorsque le soleil se lèvera demain matin. Si dans mon plan j'ai commis une erreur de jugement, ma peau ne vaut pas plus cher qu'une paire de bretelles usées au marché aux puces. Donc, attention ! Descente rapide, tournant dangereux, prenez garde aux enfants, don de Michelin, merci !

Je me décide et j'entre dans la chambre que j'occupais la nuit dernière. Qui ne risque rien n'a rien.

C'est Félicie qui me le disait lorsque j'étais lardon ; mais quand elle a vu qu'en grandissant je prenais cette maxime à la lettre, elle m'a prêché la modération.

Je n'allume pas. J'enlève une couverture au lit et je m'installe dans le fauteuil, après l'avoir traîné dans un angle de la pièce. Je vais attendre ici les événements. Je m'enveloppe les pieds dans la couvrante, je sors mon pétard, je relève le cran de sûreté ; de cette façon, je me sens moins seul.

Moi, je n'aime pas veiller de cette manière. Ça n'a rien

de folichon d'attendre, dans le noir, quelqu'un qui ne viendra peut-être pas; ou quelque chose qui ne se produira peut-être pas. Dire qu'il y a des zouaves qui sont veilleurs de nuit et qui se font tartir toutes les nuits dans une usine vide. Il me semble qu'à leur place je deviendrais sinoque au bout de huit jours, ou plutôt de huit nuits.

Lentement, les derniers locataires de l'hôtel regagnent leurs lits. Les bruits d'une crèche comme celle-ci, c'est comme un monstrueux concert. On entend des gargouillements de flotte, des gémissements de sommiers, des ronflements, des heurts de godasses, des toux.

Je m'assoupis. Mais d'une façon particulière, c'est-à-dire que je conserve une étrange lucidité. Je connais ces états de demi-veille, ça n'est pas la première fois que je joue au chat embusqué devant le trou du rat.

Il va se produire quelque chose cette nuit. J'ai une sorte de sixième sens infaillible. Je me dédouble. Mon ectoplasme doit faire les cent pas dans le couloir. Demain, si tout s'est bien passé, je le prendrai par le bras et je l'inviterai à boire un pastis.

A qui sait rêver, les heures sont douces...

Pour rêver, je rêve. Je me vois dans la nacelle d'un ballon captif. Le ballon flotte au-dessus d'un paysage enchanteur. D'en haut, je renifle un parfum de lis épatant. Mais voilà que je me mets à fumer une interminable cigarette qui s'allonge à mesure que je la fume. J'ai beau essayer de m'en débarrasser, cette cigarette continue sa croissance. Bientôt elle atteint le ballon. Ça grésille au-dessus de ma tête. Et puis, pan! L'enveloppe du ballon éclate.

Je me dresse, le pistolet au poing.

Mon rêve sombre brusquement dans la réalité. Mon ouïe est certaine d'avoir perçu une explosion. Oh! je suis le seul à avoir identifié ce bruit feutré comme étant une explosion. Je me précipite à la porte et je l'ouvre. Le couloir est désert. La porte d'en face close. Je m'approche d'elle à pas de loup et colle mon œil au trou de la serrure. Une fumée âcre glisse sous le panneau de la porte. J'ouvre celle-ci lentement et la pousse brusquement avec le pied. Deux coups de feu claquent. Si j'avais été dans l'encadrement, vous pouviez me commander une bath couronne de perles. Je m'accroupis et glisse un regard à l'intérieur. La chambre est envahie par la fumée. Une forme masquée circule là-dedans comme sur la place de la Concorde. Le visiteur nocturne a dû ouvrir ma porte en douce et balancer une grenade asphyxiante dans la pièce. Comme il s'était muni d'un masque, il est entré pour se rendre compte des résultats obtenus.

Je pousse un soupir. Le moment est venu de baisser le rideau sur cette enquête.

— Allons, Julia, dis-je d'une voix calme, jette ton feu et cesse de te conduire comme une crétine.

En guise de réponse, une balle va se planter dans la porte d'en face ; elle a bien failli accomplir ce petit voyage via ma poitrine.

Tout l'hôtel est en effervescence.

— Tu es cuite, Juju, ça n'est pas la peine de jouer à Trafalgar.

J'entends une injure étouffée par le masque.

Ma tête commence à s'emplir de fumée. Si je reste encore cinq minutes ici, le gaz va m'avoir.

— Ecoute, insisté-je, je te donne trois secondes pour te rendre. Sinon, tu sortiras d'ici les pieds en avant.

Une nouvelle balle fait voler un morceau du montant de bois.

Je soupire encore. Un soupir qui éteindrait toutes les chandelles de Saint-Pierre de Rome, un jour de canonisation.

J'empoigne mon pétard et, malgré la fumée, je vise la silhouette. Je presse la détente. Tant pis pour la môme Julia...

Vous parlez si la vie est bête...

* * *

Favelli est venu me voir à la clinique où je me remets de mon intoxication. Il est accompagné de Baudron. Mes deux collègues se sont mis sur leur trente et un et m'ont apporté une bouteille de *Lanson*.

— Racontez-nous tout, supplie Baudron, avec la lippe d'un gamin gourmand.

— C'est très simple. Je me suis douté, dès le premier soir, que Julia était quelqu'un de très important dans la bande. En fait, c'était elle le grand patron, vous le savez? Il s'agissait de Martha Gregeer, plus connue de nos services sous le matricule X 347.

— Vous l'aviez identifiée dès le début?

— Identifiée? Non... J'ai simplement compris le rôle qu'elle jouait. Suivez mon raisonnement: premièrement elle seule avait pu entendre la fin de ma conversation avec le Chinois. Elle a téléphoné à Silbarn qui dirigeait le *Colorado,* et celui-ci a averti Batavia. *Il était impossible que les choses se soient passées autrement,* souvenez-vous que Batavia a quitté le bar longtemps avant moi. Comment aurait-il su que j'avais rendez-vous avec le Chinois après la fin du service de celui-ci puisque, lorsque j'ai téléphoné à Baudron, je ne lui ai pas parlé de mes intentions?

« Deuxièmement, elle seule savait vraiment ce qu'était devenu Batavia après son arrestation et elle a pu prévenir ses complices car elle est sortie de l'hôtel où je l'avais emmenée, cette même nuit, sous prétexte d'aller chercher de la gaze pour ma blessure.

« Troisièmement, elle seule savait que j'avais l'intention de rendre visite au jardinier. C'est pourquoi le pauvre diable a été descendu.

« Elle a cru m'avoir tout le long, mais c'est moi qui la possédais et comment! La preuve décisive a été fournie hier au soir. J'ai feint de me confier à elle. Je lui ai dit que j'avais découvert l'identité véritable de Silbarn et que je l'arrêterais le lendemain. Il fallait qu'elle se débarrasse de moi à tout prix. C'est alors que je lui ai appris mon changement de chambre à l'hôtel. En réalité, j'ai attendu dans celle que j'occupais auparavant. Si elle s'était méfiée, j'étais bon comme la romaine.

— Dites donc, San-Antonio, me demande Favelli, vous avez été sérieusement intoxiqué. Pourquoi n'avez-vous pas tiré tout de suite ?...

J'hésite... Je hausse les épaules...

— J'espérais qu'elle se rendrait...

— Vous faites du sentiment ?

— Quelquefois.

— En tout cas, dit Baudron, vous ne l'avez pas manquée : en plein cœur.

— Oui, dis-je tristement, nos relations ont commencé par le cœur et ont fini de même... Heureusement qu'avant de tomber dans les pommes j'ai pu donner à la police les indications nécessaires... Sans cela les Nertex nous échappaient ainsi que Silbarn.

Favelli me regarde.

— Mon cher, vous êtes l'homme le plus casse-cou que je connaisse. Ça vous a réussi jusqu'à présent, mais prenez garde...

— Bast, il faut bien faire une fin !

Je bâille et soupire alternativement. Entre nous, je peux vous confier que je me sens désorienté, et vide comme la bouteille de champ que m'ont apportée mes collègues.

Mais laissez-moi me reposer quelque temps. Ensuite, je regagnerai Neuilly et je dirai à Félicie de me confectionner des rognons au madère, because c'est là mon aliment favori.

On a beau être un terrible, un as du contre-espionnage, un avaleur de balles, il y a des moments où l'on a envie de se faire dorloter. Aussi, tout San-Antonio que je suis, je me dis comme ça qu'il me faudra pas mal de séances dans les permanents des boulevards pour que j'arrive à oublier la môme Julia.

Pourquoi une sirène pareille va-t-elle se faire espionne ; vous pouvez me le dire ?...

Quand je pense à ses cheveux dorés, à ses yeux

limpides, à son sourire d'archange, je deviens tout bizarre. Je m'entortille dans du papier de soie. Je joue à Roméo. Je suis prêt à relire Musset, Lamartine et tous les mecs qui ont écrit des chouettes trucs sur l'amour, simplement parce que des poupées ont pris leur tirelire pour une demi-livre de pâté de foie.

Ça doit venir de ma faiblesse du moment...

Un de ces quatre, je vais remplacer la balle qui manque dans mon magasin de quincaillerie, et je vais me remettre au boulot.

Et plus il y aura de la casse, plus ce sera drôle.

FIN DU PREMIER ÉPISODE

DEUXIÈME ÉPISODE

UNE TONNE
DE CADAVRES

Et huit jours plus tard le cirque a recommencé.

Je vais essayer de vous raconter ça.

Ceux qui en ont marre de ma prose n'ont qu'à fermer ce bouquin et à se débiner pour ne pas embêter leurs voisins ; les autres ont droit à un quart d'heure d'entracte.

Bonbons, glaçons, caramels, glaces, pingouins !

Pour ceux qui auraient des explications à demander, je suis au bistrot d'à côté, en train de convertir mes droits d'auteur en boissons fermentées.

PREMIÈRE PARTIE

LES PREMIERS
CINQ CENTS KILOS

CHAPITRE PREMIER

... ET LES DOIGTS DE PIED
EN BOUQUET DE VIOLETTES

Si vous avez un tout petit peu plus d'imagination qu'un tombereau de betteraves, vous allez essayer de comprendre ce qui s'est passé.

En ce qui me concerne, je n'ai inventé ni le télégraphe morse, ni la poudre à faire éternuer, mais j'ai pigé illico. On peut bien avouer — entre nous — que lorsqu'un type décharge son soufflant dans votre poire, vous pouvez conclure qu'il ne nourrit pas une grosse tendresse à votre endroit.

Il y a des plaisanteries d'un goût douteux, vous conviendrez que celle-ci en est une. J'arrive en Italie en plein été pour m'occuper d'une affaire tout ce qu'il y a de tsoin-tsoin, dont je vous entretiendrai plus loin, et la première figure que j'aperçois en débarquant à Torino, c'est celle d'un zèbre que j'ai connu à Bogota. Ce type-là est le plus réputé tueur à gages que j'aie jamais rencontré et, à lui tout seul, il a envoyé plus de clients au père Bon Dieu que la bombe d'Hiroshima.

Je me dis que l'Italie est vraiment un bled accueillant et, sans plus m'occuper de lui que d'un vieux bouton de jarretelle, je me mets à la recherche d'un petit hôtel.

Je me décide pour l'*Albergo Porto Nova* parce que c'est une crèche modeste située à cinquante pas de la gare. Le patron a une tête à vous demander du feu, à minuit, dans un terrain vague ; les bonniches doivent faire le ménage à l'Armée du Salut après leur service et les piaules sont aussi folichonnes que des cabanons d'aliénés, mais je m'en balance. Demain, je file sur Rome où m'attend le chef italien des services secrets. Pour une nuit, je peux me contenter de cette boîte, d'autant plus que je ne toucherai des devises qu'à Rome et qu'en attendant d'y parvenir, je dois me débrouiller avec les quatre mille francs autorisés par les douanes.

Je fais un brin de toilette pour le cas où je rencontrerais une fillette qui aimerait prendre des cours de français et je me précipite dehors pour profiter du crépuscule qui est aussi bath que sur les tableaux de Del Bosco.

Connaissez-vous Turin ? Moi, je vous le dis, c'est une ville pépère, tirée au cordeau, propre et nette, où toutes les rues sont bordées d'arcades. Les flics sont vêtus de blanc et les tramways y déambulent à toute vitesse.

C'est samedi. Les trottoirs sont pleins de monde. Il y a du populo à toutes les terrasses de café. J'examine la foule, à la recherche d'un beau petit lot avec lequel je pourrais, éventuellement, passer la soirée. Mais je vais vous faire une révélation qui va bouleverser toutes les vieilles théories que vous trimbalez dans votre magasin d'antiquités : dans l'ensemble, les Italiennes ne sont pas sensationnelles. Certes, elles ont des yeux qui feraient fondre une glace à la pistache, des cheveux noirs et lustrés ; mais comme châssis, elles ne cassent rien. Et puis elles ont pour la plupart de gros sourcils comme les griffons, du poil aux jambes et aux pommettes, si bien que beaucoup ressemblent davantage à un cactus qu'à la Vénus de Milo. Çà et là, on distingue un beau brin de fille dans le tas ; seulement, l'inconvénient est que ces privilégiées sont munies d'une cour de zouaves tout ce qu'il y a de fringants.

Fatigué par ces déprimantes constatations, je m'installe à la terrasse du *Grand Café Piémontais,* en face de la gare. Il y a là, en plein air, un orchestre de types en habit, qui joue des grands airs d'opéra et des valses de Strauss. Je commande un Martini *bianco.* On me sert ça dans une petite bouteille qui est une réduction exacte de la bouteille

de Martini. Le garçon m'apporte aussi une carafe d'eau.
Je lui demande pour quoi faire et comme il connaît
admirablement le français, il se marre doucement.

— Vous le buvez sec ? me demande-t-il.

— Et comment, je lui réponds. Tu ne penses pas que
j'ai traversé le Mont Cenis pour venir me rendre compte si
l'eau de Turin est suffisamment javellisée.

Sur ces entrefaites, le chef d'orchestre arrête ses zèbres
et triture un petit micro planté en avant de l'estrade. Il se
met à raconter sa vie, mais comme il le fait en italien, je ne
peux que m'intéresser aux plis de son pantalon. Dès qu'il
a fini de débloquer, voilà une môme qui s'amène, une
vraie. Aussitôt je révise mon jugement concernant les
femmes transalpines, parce que si ce n'est pas à celle-là
que Léonard de Vinci rêvait en peignant la Joconde, c'est
sûrement à la dame qui tient les lavatories à l'angle des
boulevards Poissonnière et Sébastopol.

Cette môme-là a des cheveux châtains sombres, soigneusement séparés par une raie, des yeux couleur
noisette et un tas de trucs épatants que je ne veux pas vous
détailler pour ne pas vous empêcher de roupiller. Rappelez-vous d'une chose : c'est que son constructeur savait
travailler ; ses yeux et sa bouche ça fait une belle tierce à
cœur.

Je siffle mon Martini et je mets toute grande l'antenne
parce que cette poupée s'apprête à pousser une romance.
Si vous n'avez jamais entendu chanter l'air de *la mer
calmée de la signora Butterfly,* par la plus belle voix d'Italie,
vous pouvez d'ores et déjà demander votre passeport à la
Préfecture. Je connais l'opéra de Pantruche, le Metropoli-
tan de New York, la Scala de Milan, la Monnaie de
Bruxelles, mais jamais je n'y ai entendu un timbre pareil.
A côté de cette poupée, Lily Pons et Georie Boué sont
juste bonnes à vendre des pingouins pendant l'entracte,
moi je vous le jure, et San-Antonio n'avance jamais rien à
la légère.

Quand elle a fini, ma chanteuse à la voix d'or entame *la
Mer* de Trenet, ce qui prouve qu'elle est éclectique dans

ses chansons et qu'elle a un penchant pour la marine. Le public se met à baver d'admiration et les garçons en profitent pour torcher les consommations des clients. Autour de la terrasse, il y a une barrière blanche contre laquelle se pressent les passants : tous les peigne-zizi qui n'ont pas le temps de venir s'asseoir ou qui sont trop fauchés pour s'offrir un apéro de luxe.

Machinalement, je regarde la foule extasiée et je fronce les sourcils. A deux pas de moi, j'aperçois le tueur dont je vous ai parlé. C'est un épouvantail de deux mètres de haut qui passe aussi inaperçu qu'une auto de pompier dans la vitrine d'un marchand de couronnes mortuaires. Il a la physionomie d'un type qui a reçu le contenu d'une benne basculante sur la trompette. Sa tête énorme ressemble à une courge ; il a des yeux de goret lubrique et le sourire du bonhomme qui vient d'être guéri de la constipation par les petites pilules Toucan. Je sais son nom : Tacaba, s'il n'est pas issu d'un croisement d'un bull-dog et d'une horloge normande, il doit être mexicain. Il a travaillé longtemps en Amérique et il s'est évadé d'un pénitencier deux jours avant de passer à la grande friture.

Au moment où mes yeux se posent sur lui, il détourne la tête et voilà que je sursaute et que je ne prête pas plus d'attention à ma belle chanteuse que s'il s'agissait d'une marchande de poissons proposant sa camelote. Quelque chose me dit que ce n'est pas par hasard que ce gorille se trouve sur mon chemin. Est-ce que quelqu'un se douterait de mon voyage en Italie et des raisons de ce voyage ? Ça alors, ce serait le bouquet.

Sur l'estrade, la jolie gosseline hurle que la mer a bercé son cœur pour la vie. C'est la fin de la chanson. Elle salue un coup à droite, un coup à gauche et s'en va au milieu des applaudissements. Je règle ma consommation et je me fais la paire.

La musique c'est bien joli, mais comme je ne suis pas pressé d'aller apprécier celle des anges, je préfère me rendre compte de certaines choses importantes. La plus importante pour l'instant consiste à m'intéresser aux agissements de Tacaba, pour le cas où ce rescapé de la chaise aurait l'intention de m'envoyer dehors.

Un orage se déclenche brusquement. Ce n'est pas grave, mais je décide néanmoins de repasser à mon hôtel afin d'y prendre la chouette gabardine que Félicie — ma brave femme de mère — m'a offerte pour mon anniversaire. Je grimpe dans ma chambre et l'endosse ; c'est un imper d'officier américain couleur caca d'oie avec des épaulettes et des boutons tout ce qu'il y a de marrant. Comme Félicie ne fait jamais rien à moitié, elle m'a acheté, en même temps, un chapeau imperméable, à l'intérieur duquel je pourrai, quand je serai à la retraite, élever des poissons rouges.

Ainsi affublé, je ressemble au général Mac Arthur, d'autant plus que, depuis ma dernière enquête sensationnelle, j'ai laissé pousser ma moustache.

Je me baguenaude sous les arcades en reluquant les magasins. Je me dis de plus en plus que les Ritals ne sont pas trop maladroits, parce que, pour des gars qui ont porté Adolphe en triomphe, ils ont tout ce qu'il leur faut pour se remplir la panse, pour se relinger et, oh merveille, pour fumer. Je me précipite dans un *tabbaccaio* et j'achète une boîte de *sigari*.

Je ne sais pas si vous avez assez de jugeote pour vous en apercevoir, mais je me mets à apprendre l'italomuche à toute vitesse.

En sortant du bureau de tabac, je jette sur le cours un de ces coups d'œil en lance-flammes dont j'ai le secret et je découvre ma bouille de pinceau usagé dans les parages. Cet affreux Tacaba ne me perd pas de vue. J'ai dans l'idée que si je lâche le guidon un seul instant, il m'assaisonnera à sa manière, laquelle, croyez-moi, manque de douceur. Pourtant, n'allez pas croire que j'aie les jetons ; c'est pas une machine à distribuer des bouts de plomb, comme le Mexicain, qui fera perdre de sa superbe à San-Antonio. Si ce gorille me cherche, il va me trouver avant que le Vésuve soit transformé en vélodrome. J'en ai connu des plus coriaces à qui j'ai fait manger leurs dents.

Je regarde ma toquante et la mets à l'heure italienne ; après quoi je me dis que huit heures moins le quart est une bonne heure pour s'empiffrer des spaghetti. Je choisis un restaurant sympathique. Il y a du monde à la terrasse couverte ; des gens légèrement vêtus, aux yeux luisants. Je vous le dis, c'est un peuple curieux que celui-ci. Les hommes ont un air de se ficher de tout qui vous donne envie de vous asseoir par terre et d'attendre la fin du monde en fumant et en rêvassant à de belles mômes au soleil. Si les femmes ne sont pas toutes des reines de beauté, les bonshommes, par contre, ont des bouilles de dieux de l'Olympe.

Je m'installe à une table, au fond de la salle, après avoir accroché mon imperméable et mon galure au portemanteau. Je continue à reluquer les chalands. Je remarque que les jeunes garçons portent des gilets de couleur dont le dos est en laine et le devant en velours ; en général ils sont rouges et verts, ou bien jaunes et bleus, car les copains qui habitent la botte n'ont pas particulièrement le sens de la discrétion.

Il faudra que je m'offre un truc comme ça ; je le mettrai à Paname pour aller à la pêche, ça épatera les copains.

Le maître d'hôtel s'approche de moi. Il a une tête de veuf inconsolable ; je l'imagine davantage derrière un corbillard que dans un établissement de ce genre.

J'ai l'impression qu'il va me serrer la main en pleurant. Aussi, je me dépêche de faire mon menu, pour me passer l'envie de lui présenter mes condoléances.

— Vous parlez français ?
— Parfaitement, monsieur.
— Alors, qu'est-ce que c'est que de la *Baccala ?*
— De la morue salée.

Je commande des spaghetti et des rognons à la milanaise, parce que, en ce qui concerne ces plats, je sais de quoi il retourne. Je me rattraperai sur la pâtisserie qui est excellente de l'autre côté des Alpes.

Je m'alimente tranquillement. Pour l'instant, Tacaba a disparu. Peut-être que ça lui a donné faim de me voir lire le menu et qu'il est allé s'acheter un sandwich. Peut-être aussi qu'il me prépare un petit récital de Lüger qui ne sera pas dans une musette. Il paraît que ce brave cœur peut, à cinquante pas, enlever l'oreille d'un type, sans même déranger ses favoris. Quoi qu'il en soit, je m'expédie mes spaghetti franco de port et d'emballage... Félicie m'ayant toujours enseigné que se remplir convenablement l'estomac est une des plus belles obligations humaines.

Le chianti n'est pas mauvais. Celui-ci a un petit goût de pierre chaude pas désagréable du tout. J'en boirais une pleine citerne sans m'en rendre compte. Je liquide ma *fiashe* afin de pouvoir examiner l'étiquette du fond tout à mon aise ; après quoi je déguste une tranche napolitaine extra et j'allume un cigare à peine moins gros que la colonne Vendôme.

Comme ça la vie est au poil, et le gars qui viendrait me soustraire à ma béatitude pour me dire le contraire serait aussi bien reçu qu'un encaisseur du gaz qui sonnerait à la porte d'un monsieur en train d'expliquer à sa fiancée les rudiments de la vie conjugale.

Vous comprenez ?

Bon.

Il va être bientôt neuf heures et il y a toujours autant de peuple sous les arcades. Je ne me lasse pas de contempler le va-et-vient ; tous ces visages, toutes ces nippes colorées composent une sarabande qui, la fatigue du voyage aidant, m'envoûte littéralement.

Tout à coup, je crois avoir une hallucination : mes yeux se sont posés sur un type qui sort du restaurant d'un air pressé ; or, chose prodigieuse, j'ai l'impression que le type en question c'est moi. Comme heureusement ma matière grise fonctionne à la vitesse d'un avion à réaction, je réalise que la ressemblance inouïe vient tout simplement de ce que cette crème de salopard a fauché mon bath imperméable et mon chapeau aquarium. Je me mets à braire comme un âne à qui on aurait fait manger un poivron rouge. Je renverse ma chaise et bondis dehors, suivi par le croque-mort-maître d'hôtel qui me poursuit en brandissant un papelard et en glapissant :

— *Il conto ! Il conto !*

Je me dis que si je ne règle pas l'addition illico, toute la population de Torino va me tomber dessus et me passer au presse-purée. Aussi, sans cesser de courir, pour ne pas perdre mon zigoto de vue, je sors un billet de mille lires de ma poche et je le tends au garçon. Comme par enchantement, celui-ci s'essouffle et découvre qu'il n'a plus assez de jambes pour me rendre la monnaie.

Le voyage débute bien ! Après m'être aperçu qu'on a collé un tueur à gages à mes chausses, voilà qu'un Rital trouve mon imperméable à son goût. Quel pays !...

Le voleur s'est aperçu que je jouais à police-secours. Aussi s'est-il mis à courir. Courir n'est pas le mot, à marcher vite devrais-je dire. Et pardon, comment qu'il connaît le patelin, ce mandolinier ! Il attrape des rues mal éclairées, traverse les carrefours au plus fort de la circulation, s'esbigne derrière les arcades. C'est un fortiche ; si je ne mets pas le grand développement, je vais être jojo pour ce qui est de récupérer mon bien.

Précisément, je parviens au bout d'une rue. Je pousse un rugissement, le rascal a disparu ; il n'y a pas plus de type en imperméable dans les environs que d'alligator dans la boutique d'un teinturier-dégraisseur. Je me suis laissé posséder comme une rosière un jour de quatorze juillet.

Je m'arrête pour respirer et dès que j'ai repris mon souffle, je me mets à m'enguirlander copieusement. Je me traite d'un tas de noms qui ne sont pas tous dans le dictionnaire. Si M. Larousse m'entendait, il se dirait que son bouquin retarde passablement.

Soudain, je ferme mon appareil et je dresse l'oreille. Un bruit très particulier vient de résonner dans le voisinage.

Ce genre de bruit-là, je vous le garantis, c'est un coup de pistolet à canon scié, sans aucun doute. En fait d'armurerie et de balistique, j'en connais aussi long que la rue de Rivoli. M'est avis que l'endroit est malsain et qu'il faut prendre garde à la peinture.

En rasant les murs, je me dirige dans la direction d'où vient la détonation. Je parcours quelques mètres ainsi, dans l'ombre, et je découvre brusquement, sous un porche, le corps d'un zigoto.

Je sors ma lampe électrique-stylo et j'en dirige le faisceau sur le type étendu par terre. Je le reconnais, c'est mon voleur; il est mort comme il n'est pas possible de l'être : une balle en pleine poire, ça doit être du 9 millimètres, car sa tronche a éclaté comme une vieille noix de coco hors d'usage. Mon imperméable est rouge de sang et il a sa cervelle dans mon chapeau. Décidément, je n'élèverai jamais de poissons rouges dans ce galurin.

Je réfléchis ferme, vous pouvez m'en croire, et j'arrive à une déduction lourde de sens : Tacaba avait l'ordre d'arrêter mes comptes de fin d'année avec une balle bien administrée. Mon voleur l'a trompé, grâce à l'imper et au chapeau faciles à repérer; dans l'obscurité, le tueur s'est gouré (heureusement pour le fiston à Félicie) et c'est le pickpocket qui a écopé.

Ceci pour vous prouver une chose, c'est que bien mal acquis ne profite jamais, ainsi que le répétait mon vieux maître d'école.

Si cette figure de fifre n'avait pas eu l'idée de vouloir s'offrir mes fringues, il serait peut-être confortablement assis au *Café Piémontais,* au lieu d'être ratatiné sur ces marches. Il écouterait la belle pépée de tout à l'heure dans son répertoire. Il reluquerait ses gambettes qui composent la plus belle paire de jambes de Turin.

Alors que maintenant il a la tête aussi grande ouverte que les Galeries Lafayette un jour de vente réclame, et les doigts de pieds en bouquet de violettes.

CHAPITRE II

PAS POUR CETTE FOIS

Il y a des individus qui sont marqués par le destin ; j'en connais un ; dans l'intimité je l'appelle Bibi. En ce monde, il existe des pégreleux qui sont nés pour balayer le trottoir, d'autres pour vendre des bananes et d'autres encore pour manipuler des sulfateuses à répétition. Cela fait une paye qu'en ce qui me concerne, partout où je passe, la nature se transforme en cimetière.

Je regarde avec apitoiement la pauvre gonfle qui vient de se faire descendre et je m'évanouis rapidos en direction de mon hôtel.

Parvenu dans ma piaule, je tire le verrou et je m'allonge sur le lit pour réfléchir convenablement.

Il serait p't'être temps de vous tuyauter un brin sur l'affaire qui a motivé mon déplacement en Italie. Je suppose que vous êtes tous une bande de navetons menant une vie pénarde et que vous vous y connaissez en matière d'espionnage à peu près autant que moi en matière de cosmographie ; néanmoins, pour ceux qui n'auraient pas le cervelet en iridium, je dois donner quelques explications.

Les voilà :

Début juillet, une bande organisée a fauché à Paname des plans concernant une nouvelle utilisation de l'énergie atomique. L'affaire a été étouffée soigneusement, le conseil des ministres ayant estimé que, depuis trop longtemps, les Français passent pour des clochettes. Néanmoins, elle est extrêmement grave.

Une rapide enquête des services spéciaux a prouvé que le coup avait été réalisé par une bande organisée, composée des plus bath spécimens de gangsters qui aient jamais tenu un feu en Europe et en Amérique. Il a été prouvé que ces oiseaux de malheur se sont taillés en Italie et que c'est à Rome qu'ils comptent mener les négociations avec des puissances étrangères pour vendre le produit de leur larcin.

Comme on estime que le gars San-Antonio n'est pas trop maladroit, c'est moi qu'on a expédié de l'autre côté des Alpes pour essayer de limiter la casse.

Le gouvernement français est entré en contact avec le ministère des affaires étrangères d'Italie, afin de solliciter son appui. Ce dernier a promis de me prêter un concours total. Mais, malgré cette promesse, je suis résolu à agir seul, because les événements ont toujours prouvé que si les Ritals sont fortiches pour la mandoline, il vaut mieux, dans les cas très graves, compter sur un vieux soutien-gorge que sur eux pour vous soutenir.

Mes chefs m'ont expliqué que la patrie comptait sur moi et ils m'ont servi un tas de boniments tricolores, mais à travers leur salade, j'ai compris que si je ne remportais pas la victoire, je n'aurais plus qu'à me présenter aux services de la voirie afin de me faire évacuer avec les ordures dans le coin où on fabrique l'engrais.

Jusqu'ici, j'ai fait une découverte : c'est que la bande que je pourchasse a été informée de ma présence en Italie et qu'elle a décidé de me faire délivrer un billet d'aller simple pour le Père-Lachaise.

L'enfant se présente mal, vous en convenez ? Je croyais arriver sur la pointe des pieds et voilà que je suis attendu par les artificiers. Heureusement que je dispose d'un répit. En effet, Tacaba, à l'heure actuelle, doit être persuadé que je suis en route pour le purgatoire. Il s'agit donc d'utiliser cette illusion provisoire.

J'attrape mon indicateur et je le compulse vivement. Je

découvre qu'il y a un train pour Rome dans une heure, et je suis persuadé que mon tueur va le prendre.

Question de déduction et de psychologie. En effet, quel est le souci dominant d'un gars qui vient d'en étendre un autre ? Se planquer en mettant le plus grand nombre de kilomètres entre le cadavre et lui. Donc, ce bédouin se prépare à quitter Torino pour rejoindre sa bande à Rome.

Je peux me fier à mon raisonnement.

Le temps de réciter un quatrain et mes bagages à peine défaits sont prêts à reprendre la piste. J'explique à l'hôtelier qu'il y a trop de bestioles non homologuées sous le couvre-pied et que je préfère m'évacuer.

Il se met en colère et m'assure « qué lé signore il dité des choses qu'elles étaient honteuses ».

Je pousse la porte sans attendre la fin de ses litanies.

Rappelez-vous que je suis un drôle de futé. La preuve en est que malgré que tout soit complet dans le train de Rome, j'arrive à me faire cloquer une couchette. C'est pas que je tienne tellement à mes aises, mais je me dis que je serai moins en vue dans un wagon-lit que dans un compartiment ordinaire. Le préposé du guichet à qui je demande « *una carrozza con letti per Roma* » en me demandant si mon petit manuel d'italien parlé ne me fiche pas dedans, me répond que c'est complet. Aussitôt je me triture le caberlot pour savoir comment je vais expliquer à cet endoffé qu'il n'y a jamais eu un train complet pour San-Antonio. Mais je le regarde et je constate illico que son angle facial ne me revient pas ; j'ai autant de chances de m'entendre avec cet appareil distributeur qu'une clef à molette avec une demi-livre de sel gros. Je n'insiste pas et m'adresse à un type qui, à en juger par ses galons, doit être général au Honduras ; ça tombe au petit poil parce qu'il s'agit du sous-chef de gare. Je lui montre un billet de cinq cents lires, et, comme par enchantement, il se met à parler français. J'en profite pour sortir ma carte et alors c'est du délire, ce brave homme enlève son képi, ce qui me permet de constater qu'il est chauve comme un hanneton. Je lui affirme que, s'il peut m'avoir une couchette, je lui offrirai, en échange, le billet que je tiens à la main, ma sympathie et un flacon de *Lactène* pour faire repousser ses crins.

J'ajoute que dans le cas contraire, je vais commencer à tout casser et que les typhons de la Jamaïque sont de la gnognote comparés à mes colères.

Vous l'avez deviné, et du reste je vous l'ai dit plus haut, cinq minutes plus tard, je suis installé dans un wagon-couchettes.

Ce qui vous indique clairement qu'il ne faut jamais s'avouer vaincu et que les pauvres caves qui se fient aux affirmations d'un guichetier sont tout juste mûrs pour manger des nouilles à l'eau et payer leurs impôts.

J'ôte mes godasses et passe mes pantoufles de cuir à semelle de caoutchouc ; après quoi, je troque mon veston contre une veste d'intérieur, je dénoue ma cravate et je sonne le préposé au wagon. D'un coup d'œil, je l'évalue ; je décide que ce lapin-là ne doit pas être bête du tout : ses yeux pétillent de malice et de cupidité ; c'est un de ces piafs qui s'entendent comme pas un pour accrocher des pourboires. Je remarque que ses mains sont en forme de sébile.

— Ecoute, Kiki, je lui dis, je suppose qu'étant donné tes fonctions, tu dois parler plusieurs langues ?

— J'en parle huit, déclare-t-il.

— C'est plus qu'il n'en faut pour mon usage personnel, mon joli. Du moment que tu t'exprimes en français, tu as droit à toute ma considération.

Il s'incline.

— Voilà ce que j'attends de toi, poursuis-je, j'ai aperçu sur le quai de départ un vieux copain à moi. Dans la bousculade, je l'ai perdu de vue. Tout ce que je sais, c'est qu'il se trouve dans ce toboggan et qu'il y a cinq cents lires pour ta pomme si tu me le trouves.

— A votre service.

— O.K.

Là-dessus, je lui fais le portrait parlé de Tacaba.
Décidément, j'aurais dû me lancer dans la littérature,
parce que pour les descriptions je suis un peu là. Si, avec
le signalement que je donne du personnage, le garçon de
train ne le retrouve pas, c'est que mon Mexicain est allé se
cacher dans la chasse d'eau des lavatories. Je lui recommande de ne rien dire à Tacaba, parce que je veux lui faire
comme qui dirait une petite surprise. Il s'éloigne et
j'allume une cigarette turque. Vous dire de quelle façon je
vais mener les opérations m'est impossible. Je n'ai pas
d'idées préétablies et je m'en remets à mon sens inné de
l'improvisation.

Cinq minutes plus tard, le garçon est de retour. A son
petit sourire, je devine qu'il a gagné ses cinq cents lires et,
en effet, il m'annonce que mon « ami » se trouve dans le
wagon précédent : compartiment 9.

— Kiki, lui dis-je, tu es le type qui peut remplacer une
demi-livre de beurre au pied levé. Voilà l'osier promis et
j'y ajoute cent balles de mieux parce que tu vas me prêter
ton képi pour un moment.

Il se décoiffe en se marrant parce qu'il devine que je
vais jouer un bon tour à ce vieux copain de Tacaba. Et il
ne se met pas trop le doigt dans l'œil, car pour un bon
tour, ça va en être un, ça je peux vous le garantir sur
papier timbré.

Son galure me va à ravir ; grâce à lui, je dois ressembler
à un officier de la marine albanaise. Avec ma veste
d'intérieur rouge, j'ai vraiment l'air d'avoir revêtu un
uniforme.

Je crois que ça va boumer. Prestement, je change de
wagon. Il n'y a personne en vue dans le couloir de Tacaba.
Je tire mon manuel de ma poche et je cherche le mot
contrôleur, en italien on dit *controllore,* ça n'a rien de
duraille. Je remets mon opuscule en place, puis j'attrape
mon Lüger. C'est un bon copain qui ne rechigne jamais au
boulot. Je m'arrête devant le compartiment Nº 9, et je

frappe deux petits coups secs, de la façon impérative des contrôleurs.

Derrière la porte, une voix de mêlé-cass grogne une question en américain.

— *Controllore !* fais-je avec beaucoup d'assurance.

J'entends tirer la targette ; l'huis s'entrouvre. Je sens le regard charbonneux de Tacaba posé sur moi. Pour plus de sécurité, je me tiens de profil. Mis en confiance par ma tenue, cet enfant de salaud ouvre grande la porte. Il est en bras de chemise.

Je répète : *Controllore !* d'un ton obstiné, qui est comme une invite. Docilement, Tacaba tourne les talons pour attraper sa veste pendue au fond du compartiment. Je ne perds pas une seconde, saisissant mon arme par le canon, je lui allonge un vieux coup de crosse sur le bocal. Le Mexicain pousse un petit gloussement, comme s'il avait avalé un noyau de cerise, et il répand ses cent vingt kilos sur le tapis ; je suis obligé de le tirer un peu par les pieds pour pouvoir refermer la porte.

Jusqu'ici ça va très bien... Pour moi tout au moins.

Dès que j'ai fouillé les fringues de mon tueur et que j'ai raflé son pistolet, j'entreprends de le ranimer. Ce n'est pas aisé, car je lui ai administré une bonne dose de somnifère. Il ne faut pas moins de trois verres d'eau violemment projetés sur son visage, pour qu'il se décide à ouvrir ses jolis yeux.

Aussitôt il me reconnaît, et il sursaute comme s'il venait de s'asseoir sur un nid de serpents-minute.

— San-Antonio, balbutie-t-il.

— Soi-même, gros vilain. Ça t'en bouche un coin, hein ? Tu croyais bien m'avoir descendu, pauvre tordu. Mais je suis un gars aussi coriace que Raspoutine, alors tu te rends compte...

Il se met sur son séant.

— Ne t'excite pas, conseillé-je, regarde plutôt le joli

joujou que je tiens dans la main. Avec celui-là, j'en ai calmé des plus turbulents que toi.

Mon discours n'a pas l'air de lui plaire. Il me roule des yeux tellement féroces qu'en comparaison ceux d'une gargouille moyenageuse paraîtraient aussi doux que les yeux d'une biche. Je me dis, *in petto,* que je dois tenir ce vilain-pas-beau à l'œil, si je ne veux pas qu'il me joue un des tours de fumier dont il a le secret.

— Tu vas rester assis contre la cloison, dis-je, et ne pas trop remuer. Si tu as le malheur de lever, fût-ce ton gros orteil gauche, je t'en mets une en plein bide, là où ça fait mal. Compris ? Et maintenant, c'est bien simple, tu vas tout bonnement me donner quelques tuyaux sur le gang qui t'emploie.

— Si tu comptes là-dessus, poulet, rétorque cette carne, t'as meilleur compte d'attendre que le Pape fasse le tour de France cycliste.

— Oh que non, ma douceur.

— Oh que si, répond-il en se marrant.

Franchement, je m'admire de pouvoir ainsi freiner mes réflexes. Si je m'écoutais, Tacaba ressemblerait déjà à un baril de rillettes. Je sens que la moutarde me monte au blair, et soyez-en sûrs, c'est de l'extra-forte. Je me force à sourire afin de le mettre en confiance, et, soudain, je lui décoche un coup de pied à la pointe du menton. Il retombe illico dans les pommes.

— Excuse-moi, lui dis-je, j'avais besoin de t'envoyer un moment dans les limbes pour avoir la liberté de mes mouvements.

Tout en parlant, je m'empare des sangles de sa valise et je les utilise pour lui lier les jambes et les mains. De cette façon, je vais pouvoir m'expliquer une bonne fois pour toutes avec ce gorille. Lorsque ce petit exercice est achevé, j'allume une cigarette — toujours une turque — et j'attends que mon compagnon récupère sa lucidité, ce qui ne tarde pas trop.

— Décidément, lui dis-je, t'as le dôme en celluloïd. A

te voir on a l'impression qu'il faudrait un tank pour te renverser et un coup de pantoufle te liquéfie.

Il ouvre grand son moulin à braire et se met à m'affranchir au sujet des sentiments qu'il nourrit à mon endroit. Il me fait des révélations sur mes origines et sur mon futur et trouve des noms jusqu'ici inconnus pour me qualifier. Je le laisse faire en tirant sur le bout de carton doré de ma cigarette. Lorsqu'un zèbre a trop de bile sur la patate, il faut le laisser se soulager si on veut lui tirer des paroles sensées par la suite. Au bout d'un quart d'heure, il a épuisé son vocabulaire et son imagination.

— Bon, lui fais-je posément, tu as terminé l'inventaire. Alors, c'est à moi de jouer. Tu sais, j'ai de la suite dans les idées. Maintenant, j'aurais mauvaise grâce à te cacher que je m'occupe de l'affaire des plans volés à Pantruche. Je suis assez bien rencardé sur le gang, puisque je sais que c'est de Rome qu'il compte négocier son vol. Je suppose qu'il a appris que j'étais sur la piste et qu'il t'a payé pour me liquider dès mon entrée en Italie! Tu t'es gouré un brin et tu as démoli un pauvre gnaf de pickpocket qui avait volé ma gabardine. Ceci pour te rassurer quant à ton adresse au tir. Enfin, la nature humaine est égoïste et je préfère que ce soit un autre qui ait hérité ton pruneau, ça me permet de vivre et de pouvoir te proposer le marché suivant : tu réponds à mes questions et je te fais coffrer en gare de Gênes pour vol de mes bagages, ou tu la fermes et j'emploie les grands moyens. J'ajoute qu'au cas où ceux-ci ne réussiraient pas, je te ferais cueillir pour meurtre. Tu le vois, je suis bon zig et c'est le moment d'en profiter, crois-moi.

Je le soulève et le fais asseoir sur la couchette. Je m'assieds gentiment à ses côtés, quelqu'un qui nous verrait nous prendrait vraiment pour une paire de copains.

— Alors?

Il tourne la tête vers moi, me regarde dans le blanc des yeux et me crache au visage.

Il n'en faut pas davantage pour me décider. Je lui

attrape le petit doigt de la main gauche et je le lui casse en le renversant. Le Tacaba pousse un cri qui doit être perçu depuis le détroit de Béring.

Aussitôt, le garçon de wagon frappe à la porte, je lui ouvre en prenant soin de masquer Tacaba qui se tord de douleur sur sa couchette, je fais mine d'être ivre et j'entonne le *Grenadier des Flandres*.

— Whisky ! hurlé-je.

Le zigoto s'incline et s'évacue. Il revient au bout d'un instant avec une bouteille carrée. J'y saute dessus comme un tigre du Bengale sur entrecôte panée. Je règle la note et me remets à chanter afin de couvrir les gémissements de ma victime. Aussitôt que nous sommes seuls, je débouche le flacon et m'en administre un grand coup. Je dois vous avouer que je suis un hypersensible, j'ai horreur de voir la souffrance d'autrui, surtout lorsque, par obligation, c'est moi qui l'ai provoquée.

— Tiens, lui dis-je, colle t'en une rasade dans le cornet, ça te remontera le moral.

Cette fois, il ne fait plus le flambard. Comme il a les mains attachées, je desserre un peu la sangle afin de lui permettre de boire.

Vous allez voir qu'il faut mesurer ses largesses et qu'il n'est pas toujours indiqué de jouer les bons samaritains. Mon loustic prend le flacon et ajuste le goulot au trou qu'il a sous le nez. Je le regarde pinter avec satisfaction, je suis en train de me dire que le whisky va donner un coup de fouet à Tacaba et peut-être même le ramener à de meilleurs sentiments. J'ai raison en ce qui concerne la première supposition, mais pardon, je me trompe au sujet de la seconde. Voilà ce nénuphar de water-closet qui enlève brusquement la bouteille de ses lèvres et me la balancetique en pleine cafetière. Je la déguste sur le sommet du crâne et j'ai instantanément l'impression que l'*Empire state building* vient de me choir sur la coupole. Je n'ai pas le temps de récupérer que le gorille est déjà sur moi. Il s'arrange de façon à me passer la sangle entravant ses poignets autour du cou. Et comment qu'il serre ! Ma langue jaillit de ma bouche et devient aussi longue que le tapis qu'on déploie dans l'allée centrale de Notre-Dame un jour de grand *Te Deum*. Je sens que mon sang se bloque dans ma tête. J'étouffe. Quelques secondes encore et je suis ratatiné. Il faudrait que je puisse réagir, je me le répète à toute volée ; mais comment ? Mes nerfs sont comme du chewing-gum mâché pendant trois mois, et mes muscles un peu moins durs que du coton hydrophile. Cette fois, je vais perdre connaissance, je m'efforce de tenir encore, je sens sur ma nuque le souffle haletant de Tacaba.

Sapristi ! Mes doigts viennent de se souvenir qu'ils tiennent un fameux Lüger. Si je peux vivre encore quelques secondes, rien n'est perdu. Avec des mouvements fantomatiques, je passe ma main derrière mon dos. Je tâte maladroitement du bout de mon pistolet le bide de Tacaba et je presse la détente. Une bouffée d'air bondit dans ma gorge meurtrie, dans mes poumons vides. J'ai un étourdissement. Je fais quelques pas en avant et me cramponne au lavabo. Je suis haletant, des frissons me traversent l'échine, mes tempes battent violemment, des lueurs mauves et rouges passent dans mes yeux.

Dès que je peux me permettre un mouvement, je tourne le robinet et plonge ma tête dans la cuvette. Ouf ! Ce que cette flotte est fameuse malgré son goût de tuyauterie. Je récupère et me retourne pour voir où en est Tacaba.

Croyez-moi, il n'est pas brillant. Il est à genoux et se tient le ventre à deux mains. Son mufle est livide, de la sueur dégouline sur son front.

— Tu m'as eu, poulet, grommelle-t-il.

— Tu n'avais qu'à pas jouer au petit soldat, lui fais-je. Malgré que tu aies essayé de me buter à Turin, je t'avais fait une proposition honnête.

— J'ai mon taf.

— Et comment que tu l'as, mon pauvre vieux !

Il hoquète :

— San-Antonio, mets-m'en une dans le citron, je souffre trop.

J'hésite, je ne sais si je dois accéder à sa requête.

— Ecoute, lui dis-je, prenant une brusque décision ; je peux encore faire ça pour toi. Seulement, sois gentil et donne-moi une indication au sujet de la bande. Enfin quoi, ce gang-là, c'est pas ta patrie, c'est à cause de lui que tu calambutes en ce moment, l'oublie pas.

Un voile passe dans son regard.

— Tu peux... tu peux pas piger... j'ai le pépin pour elle...

— Qui, elle ?

— Else.

— Qui est Else ?

— Le N° 1... Elle... elle t'aura... tout San-Antonio que tu es.

Soudain, son visage se crispe et ses yeux deviennent fixes. Pas besoin d'une seconde balle, Tacaba vient de lâcher la rampe. Son corps glisse le long de la couchette et sa tête sonne contre la cloison du compartiment.

Je rengaine mon feu, ramasse la bouteille de whisky et torche les quelques gouttes demeurant au fond du flacon. Après quoi je sors. Dans le couloir, je croise le garçon de train et je lui restitue son képi d'amiral.

— On a bien rigolé, lui dis-je.

CHAPITRE III

DU DRÔLE DE MONDE

J'attends Gênes. Dans le lointain, les lumières du port scintillent comme la voie lactée au mois de juillet. Je m'habille et empoigne ma valise. Il s'agit de filer sur la pointe des pieds si je ne veux pas que les carabiniers me cueillent au virage. Je n'oublie pas que je suis dans un bled étranger et que mon insigne ne contenterait pas la police italienne si celle-ci prenait la fantaisie de m'arrêter pour le meurtre de Tacaba. Si jamais un garçon de wagon ou un contrôleur découvrait le corps du gangster, je ne doute pas que les recherches s'orienteraient illico sur le gars San-Antonio. Et, pour ne rien vous cacher, je ne me soucie pas de moisir plusieurs jours dans les geôles ritales ; surtout que le temps presse.

Profitant de l'absence momentanée de mon convoyeur, je change de wagon et remonte le train. Nous traversons un long tunnel et nous débouchons sur Gênes. A peine le train est-il entré en gare que je saute sur le quai et me fonds dans la foule.

J'ai changé mes batteries. Au lieu de me taper le train, je vais pioncer gentiment dans une *albergo* potable et je prendrai l'avion pour Rome demain matin.

* * *

Le lendemain, rasé de frais et la bouche en cœur, je fais mon entrée chez le chef italien de la surveillance du territoire.

C'est un vieux monsieur très bien qui ressemble au comte Sforza. Il n'a pas plus de tifs qu'un petit pain au lait, mais en revanche, il porte une moustache et un bouc blanc. Son regard est intelligent, il a de belles manières et je sens qu'il est francophile, rien qu'à la façon dont il me regarde.

Je lui colle sous le nez ma lettre d'introduction. Il la parcourt superficiellement.

— Jé sais, me dit-il, jé reçu oun câblé dé Paris.

Il tire sa barbichette comme pour se rendre compte si on ne lui en a pas ajusté une fausse pendant qu'il roupillait.

— Affaire péniblé, ajoute-t-il.

Tu parles ! D'après le peu qu'on m'en a dit, la nation qui héritera de l'invention aura un drôle d'atout en cas de bigornage général.

Je l'affranchis sur mes démêlés avec Tacaba.

— Si vous entendez dire, conclus-je, qu'on a trouvé un cadavre dans le Torino-Roma, ne le collez pas aux objets perdus : il est à moi.

Le chef sourit.

— Ah ! ces Français ! murmure-t-il avec tendresse.

Je lui coupe net l'enthousiasme.

— D'ac, fais-je, ils remplacent la margarine, mais encore faut-il qu'ils retroussent leurs manches. Je crois que j'arrive juste à temps. Les zèbres que je poursuis n'ont pas encore dû négocier leur larcin, car ils se seraient battu l'œil que je rapplique et n'auraient pas expédié le Mexicain à ma rencontre.

— En effet.

— Tout le jeu consiste à intervenir brutalement. Pour l'instant, ils ne savent pas encore ce qui est arrivé à leur gorille de service, je peux donc espérer les surprendre. Avez-vous une indication quelconque ?

— Attendez ouné séconde.

Le barbu décroche son téléphone et se met à parler ; il semble excité, j'ai dû le doper avec mes façons brusques.

Il rajuste l'écouteur et recommence à tripoter son bouc ; il a l'air d'y tenir, à sa barbouze. Je parie que la nuit il se l'enveloppe dans du papier de soie.

Je tire une cigarette de ma poche et l'allume. Mon interlocuteur ne parle pas et ce n'est pas moi qui risque de l'ouvrir. Quand un bonhomme comme le père la barbiche réfléchit avant de discuter, c'est qu'il ne va certainement pas vous raconter la dernière de Marius et Olive. Probable qu'il est en train de cataloguer ses pensées et de les aligner par paquets de dix dans sa centrale.

Lorsque je suis parvenu à la moitié de ma cigarette, le comte Sforza se réveille.

— Oun hommé va vénir, déclare-t-il, c'est notre plous importanté indicator. Oun garçon qu'il est extrêmament précioux, il connaisse à fond les milieux interlopes di Roma, et même les autres. Il a la mano mise sour toutes les casa closes dé la ville. Jé né m'adresse à lui que dans les grandés occasionnes. J'espère qu'il vous sera d'oun bonne outilité.

— Je l'espère aussi, rétorqué-je, because, jusqu'ici, j'ai ballepeau comme résultat.

Il me pose quelques questions sur la vie à Paris et me demande s'il y a toujours de belles mousmés à Tabarin.

Je le rassure et lui affirme qu'il peut encore retenir son bifton pour la ville lumière s'il veut se faire rigoler, étant donné que ce ne sont pas les petits lots qui manquent entre Montparnasse et le Sacré-Cœur.

— Faité-moi lé plaisir dé vénir dîner ce soir chez moi, propose-t-il.

Ça part d'un bon naturel, mais je refuse son invitation.

— Ce soir, lui dis-je, p'tête ben que je serai dans un des tiroirs de la morgue. Si je n'y suis pas, il y a des chances pour que je songe à autre chose qu'à dîner dans le monde. Si vous voulez bien, on reparlera de ça dans quelques jours.

Il s'incline courtoisement.

— Comme il vous plaira.

Il y a déjà un gentil tas de mégots dans le cendrier lorsqu'un agent en uniforme introduit le type que nous attendons.

Ce gigolo a l'aspect d'un chef d'orchestre cubain. Il est grand comme un général, maigre comme un ouvre-boîte, brun comme le négus. Il a des mirettes luisantes et des dents de carnassier aussi blanches que sur les réclames de pâte dentifrice. Sûr et certain que ce type-là n'a pas de mouron à se faire pour dégringoler les pépées les mieux fournies en rotondités ; il doit renouveler son bétail avec une extrême facilité.

Le chef lui tend la main. Il témoigne à l'arrivant une cordialité qui n'est pas dépourvue d'une certaine considération.

Puis, se tournant vers moi :

— Jé vous présenté Luigi Sorrenti. Le commissaire San-Antonio des services secrets français, complète-t-il à l'intention de son auxiliaire secret.

J'en tends cinq à Sorrenti. Je découvre qu'il a les mains froides, ce qui est signe de fermeté. J'ai dans l'idée que ce Rital ne doit pas être d'un maniement facile.

— Enchanté, déclare-t-il en un français impeccable.

— Vous pouvez exposer votré affaire au signor Sorrenti, conseille le chef.

Qu'est-ce que je risque ? Par le menu, je fais à notre interlocuteur l'historique de l'affaire. Il m'écoute calmement, se contentant de hocher la tête pour montrer qu'il suit parfaitement mes explications.

— Vous pigez, dis-je pour finir, je suis coupé de la bande, je ne connais pas Rome. Ce dont j'ai besoin, c'est d'une piste, aussi fragile soit-elle, d'un point de départ logique en somme.

— Evidemment, admet-il, je ne voudrais pas vous faire une fausse joie, mais je crois pouvoir vous dire que je connais ou plutôt connaissais Tacaba. J'avais, la semaine passée, repéré un type correspondant au portrait que vous venez de brosser.

Il ajoute quelques détails signalétiques.

Je m'exclame :

— Pas d'erreur, c'est lui !

— Parfait, cet homme fréquentait un café situé dans une petite rue, près de la Place Victor-Emmanuel II. Il a rossé un consommateur, pour je ne sais quelle raison : querelle d'ivrogne ; j'y étais, il a retenu mon attention parce qu'il s'est esquivé malgré qu'il ait le dessus, dès que le patron a parlé d'appeler la police.

Je sors un carnet de ma poche.

— Voulez-vous me noter l'adresse du bistrot...

Il s'exécute de bonne grâce.

— C'est tout ce que vous pouvez me refiler comme tuyau ?

— Oui. Je vous donne mon adresse au cas où vous auriez besoin de moi.

— *All right.* Vous ne connaissez pas une certaine beauté du nom d'Else ?

— Comment dites-vous ?

— Else.

Il a un geste d'impuissance.

— Non, je regrette, c'est un prénom anglais, ça ?

— Plutôt scandinave... mais ça ne veut rien signifier.

Je me lève et dis au chef de la police :

— Vous seriez bon de faire photographier le visage de Tacaba. Dites aux spécialistes qu'ils le prennent les yeux ouverts et qu'ils le réparent un peu de façon à ce que ça ressemble à une photo d'identité.

— Entendou.

Le comte Sforza me fait signe de patienter. Il ouvre un tiroir de son bureau et en tire un bristol couvert de tampons sur lequel il écrit quelque chose.

— Tenez, dit-il en me le tendant, avequé ça vous pourrez obtenir dé n'importé quel service dé police touté l'aide que séra nécessaire. Où faudra-t-il vous faire porter les photos ?

Je me tourne vers Sorrenti.

— Vous avez un hôtel pépère à m'indiquer ?

Il réfléchit.

— Allez à l'*Imperator* de ma part.

— Merci.

Je sors des locaux de la police en sifflotant la *Marche Turque,* ce qui, chez moi, est un signe d'évidente satisfaction.

A deux heures de l'après-midi, je me mets en campagne. Je viens de croquer une timbale de macaroni rudement fameux ; de quoi s'embaucher dans une usine de pâtes alimentaires jusqu'au jugement dernier. Et je me sens d'attaque.

Moi, rien qu'à la pensée qu'il y a dans la Ville éternelle une tripotée de zouaves qui rêvent de se faire une descente de lit avec ma peau, je me sens fringant comme une pouliche à qui on aurait fait boire du champagne. Je passe à mon hôtel et j'ai la satisfaction d'y trouver la photo de Tacaba. Je dois reconnaître que le photographe possède à fond son métier, car il a su donner au visage du gorille ce qui, avec la beauté, lui fait présentement le plus défaut : la vie. J'enfouis l'image dans mon portefeuille et je me donne le signal du départ. Direction ? La place Victor-Emmanuel II.

Je ne me caille pas trop le sang pour dénicher le café où Luigi prétend avoir aperçu Tacaba. C'est un petit coin d'apparence honnête. Imaginez une grande salle tapissée de rouge, à l'entrée de laquelle pend un rideau de perles. Il n'y a personne à ces heures, excepté le patron, une espèce d'hippopotame plus gras qu'une soupe au fromage et qui dort sur son ventre comme sur un édredon.

J'ai beau tousser, il ne se réveille pas ; il doit avoir des aptitudes solides pour la sieste.

Je me décide à crier un bon coup.

— Hep ! signore !

Mais il ne bronche pas. Je m'apprête à le héler à nouveau, lorsque j'aperçois quelque chose qui dépasse de sa veste, en haut du dos. Ce quelque chose n'est autre que le manche d'un poignard. Je touche le front du bistroquet, il est froid comme une glace à la vanille. Je pousse le juron le plus volumineux qu'on a jamais balancé à cinq cents mètres du Vatican. Si je tenais le crocodile galeux qui a délivré au gros homme une carte d'abonnement pour le purgatoire, je crois que je lui cognerais dessus jusqu'à ce qu'à côté de lui une limande paraisse plus épaisse qu'un canot pneumatique.

Je passe dans l'arrière-salle : personne.

Le mieux est de prévenir la police, mais il me vient une autre idée. Je sors sur le trottoir et je fais signe à un sciuscia. Le gamin se précipite sur moi. Réunissant tout ce que je possède d'italien, j'essaie de lui expliquer ce que j'attends de lui. Néanmoins, quoiqu'il me semble assez déluré, il ne comprend rien à mon charabia. Tout à coup le gosse a une idée de génie :

— *Do you speak english ?* me demande-t-il.

Comme je parle l'anglais à la perfection, je me fends la bouille.

— O.K.

Je tends une carte de visite au lardon. J'y ai inscrit l'adresse de Luigi Sorrenti, accompagnée de cette simple phrase : « Venez presto au café que vous m'avez indiqué ce matin ».

Puis je tire un billet de cent lires, je le partage en deux et tends une moitié au sciuscia en lui expliquant que l'autre moitié lui appartiendra lorsque la course sera faite. J'ai appris à être méfiant.

En attendant l'arrivée de Sorrenti, je débouche une bouteille de Martini, malgré que ce ne soit pas précisément l'heure de l'apéritif, et je m'asperge le tube digestif. Je me dis que mon enquête n'a pas encore commencé et qu'il y a déjà trois cadavres à mettre au frais. Quand je vous disais que partout où je passe le monde se transforme en cimetière !

Tout de même, ça me paraît étrange qu'on ait buté le patron de ce café. En effet Sorrenti, seul, savait qu'il

pouvait m'être utile, mais il serait ridicule d'en déduire
qu'il est pour quelque chose dans cet assassinat car
personne ne le forçait à me signaler l'incident de la
bagarre dans cet établissement. Non, pour une fois, je
crois à une coïncidence. Ce n'est pas à cause de moi, pour
éviter qu'il parle, qu'on a expédié le cabaretier au pays des
fantômes, mais pour d'autres motifs. Je retourne dans
l'arrière-salle et je me mets en devoir de perquisitionner.
Je découvre un pistolet dans une boîte à sel, et je me
marre en songeant qu'en guise d'assaisonnement, ça se
pose un peu là. Excepté cette arme, je ne trouve rien de
louche. Je m'apprête à abandonner mes recherches lorsque j'entends un bruit de pas dans le bistrot. Je jette un
coup d'œil et, pardon, qu'est-ce que je vois ! La môme la
plus ravissante qui se soit jamais baguenaudée sous le
soleil d'Italie. Elle est mince, bien moulée et porte une
jupe blanche et un sweater cyclamen. Ses cheveux blonds
lui tombent jusqu'au milieu du dos.

Elle ne regarde même pas le fameux dormeur. Elle se
dirige vers le comptoir d'un air déterminé et ouvre le
tiroir-caisse. Je m'aperçois très vite que ce n'est pas le
pognon qui l'intéresse car elle le sort à poignées et le
balance à ses pieds. Elle extrait une petite boîte en fer et
s'apprête à l'ouvrir. Comme le contenu de ladite boîte
m'intéresse également — je suis curieux de nature — je
décide d'intervenir.

— Hello, beauté, si c'est du feu que vous cherchez, j'ai
des allumettes.

Elle sursaute et se retourne comme si un marchand de
charbon avait voulu constater que ce qu'elle charrie dans
son corsage n'est pas factice.

— Qui êtes-vous ? questionne-t-elle.

— Ecoutez, ma merveille, peut-être bien que je suis le
roi de Yougoslavie et peut-être bien aussi que je suis un
gars de Belleville, ça n'a pas grande importance, ce qui
importe, c'est qui vous êtes, vous, et ce que vous venez
fiche derrière le comptoir de feu ce brave homme.

Elle ne répond rien. Cette gamine possède des yeux

pervenche et elle s'en sert pour admirer mon anatomie. Elle me regarde avec avidité comme si elle voulait pouvoir se souvenir de plus petit grain de beauté qui enrichit mon visage intelligent.

— C'est entendu, lui dis-je, je ressemble à Jean Gabin, mais ça n'est pas une raison pour me dévorer de cette façon. Vous savez, je ne suis pas un type tellement comestible au fond.

Elle ne répond toujours rien. Nous demeurons chacun d'un côté du comptoir à nous observer. Le silence est tel qu'on entendait sauter un bouton de jarretelle dans un cinéma.

Soudain, il se produit quelque chose et j'avoue que j'en reste baba : trois coups de feu claquent, bien posément, pour qu'on ait le temps de les compter. La momette blonde a biché un canon, je ne sais pas où, et elle me distribue sa quincaillerie à travers le comptoir avec un beau sang-froid. Ses yeux ne cillent pas. Elle a l'air absolument ravie. Pour être franc, je n'ai jamais rencontré une gnère comme celle-là. Est-ce que ça vous est arrivé à vous d'utiliser une fraction de seconde pour envisager une situation et prendre une décision ? Moi, je n'en suis pas à mon coup d'essai, pourtant, je l'avoue, jamais je n'ai été aussi rapide que cette fois. Ce qui me vient subito à la pensée c'est la remarque suivante : comment se fait-il que les balles de la sirène blonde ne m'atteignent pas ? D'après un rapide calcul de balistique, j'aurais dû les prendre dans l'estomac. Je trouve aussitôt l'explication du mystère : entre le comptoir et moi se trouve le décujus. D'où elle se tient, la môme ne se rend pas compte de la position exacte du cadavre, heureusement pour le bide de San-Antonio, si bien que les trois balles ont été interceptées par le bistroquet qui, décidément, est de plus en plus mort. Si j'ai l'air sain et sauf, la donzelle va lever peut-être son mortier et j'en choperai une ou deux dans le museau avant d'avoir eu le temps de sortir mon arsenal. Je vous le redis, toutes ces réflexions, longues à écrire, je me les fais en l'espace d'un éclair. Chez moi, l'instinct commande plus vite que la raison, je prends la physionomie surprise du gars qui ne s'attendait pas à ce petit tour de société. Puis mon visage se convulse comme sous le coup d'une grosse souffrance, je pousse un hoquet d'agonie, tout ce qu'il y a de bien imité et je m'écroule d'une façon spectaculaire. Je suis très satisfait de cette chute-là, si le directeur de la Comédie-Française me voyait, il m'embaucherait tout de suite.

J'entends la môme qui ricane. Elle rengaine son feu. Je la surveille du coin de l'œil ; savez-vous où cette femelle planque son joujou ? Dans son sac à main qui est truqué. Elle n'a pas besoin d'ouvrir ce dernier pour en extraire son arme, il lui suffit d'appuyer sur le fermoir et le flingue jaillit par l'extrémité du sac. Je ne sais pas le nom de l'ahuri qui a inventé ce truc-là, mais je voudrais bien le connaître pour lui dire ma façon de penser.

La môme blonde passe à côté de moi. Elle ne paraît pas le moins du monde incommodée par ces deux cadavres superposés ; c'est le genre de fillette qui se taperait un sandwich assise sur le cercueil de son grand-père. Elle pousse même le sadisme jusqu'à me décocher un coup de tatane dans les côtes. Je décide de jouer ma petite scène pour noces et banquets. Prompt comme la foudre, je lui attrape le pied et la fais basculer à mes côtés. D'un coup de genou, j'éloigne son sac à main. Je la maintiens plaquée solidement contre le parquet.

— Alors, ma chérie, lui dis-je, à mon tour de donner les cartes, que dis-tu de ça ?

J'entends bouger le rideau de perles de l'entrée. Je pense : « Tiens, voilà sans doute Sorrenti ». Je ne vais pas plus loin dans mes estimations, car j'ai l'impression que mon crâne vole en éclats.

Moi, je vous le garantis : le type qui vient de m'administrer ce coup de matraque peut se faire signer un contrat de travail à la Villette. Et il peut aussi allonger mon blaze comme référence.

Je lâche tout et je vais me promener dans le cirage.

CHAPITRE IV

IL ÉTAIT UN PETIT NAVIRE

J'ouvre les yeux ; sous mon cuir chevelu un moteur d'avion se déclenche aussitôt et alors que je me dépêche de rebaisser mes stores. Dans le noir, ça va mieux, je suis en tête à tête avec ma souffrance et on s'explique plus aisément à deux.

J'ai en outre un mal de cœur qui n'est pas piqué des mites ; à croire que j'ai avalé un baquet de saumure. Ma langue est enflée et on a dû me trépaner depuis peu car mon couvercle n'est pas solide du tout.

Je prends mon élan et je rouvre mes mirettes. Il se produit à l'intérieur de mon cerveau un feu d'artifice miniature. Ma parole, je dois être saoul car je sens le plancher — je suis étendu à même un parquet ciré — qui se taille en avant. Ma lucidité est allée passer le week-end sur les bords de la Seine parce que mon intelligence n'est pas plus développée que celle d'une pince-monseigneur. Si vous remplissiez de choucroute un casque de scaphandrier, vous obtiendriez à peu près ma tête du moment.

La seule chose que je comprenne un peu, c'est que je vis et ça m'épate bougrement. J'essaye de me souvenir ; des images surgissent du brouillard étincelant dans lequel je me trouve plongé. Je revois une binette à barbiche : celle du comte Sforza, puis des cheveux blonds et mon sens olfactif reprenant le dessus, j'évoque un parfum d'une extraordinaire subtilité. Voilà que ma mémoire se remet à fonctionner : je me souviens de la belle gosse que

je tenais solidement arrimée au plancher et je me souviens
— j'ai de bonnes raisons pour cela — du gnon phénomé-
nal que j'ai reçu derrière le crâne. Pour résister au choc de
cet aérolithe, il ne faut pas avoir la boîte crânienne en
sucre vanillé, je vous le promets.

Sûr et certain que pendant que je m'apprêtais à filer une
fessée à la souris qui venait de me tirer dessus, un de ses
complices chargé de faire le 22 s'est amené avec une
matraque. Et qu'est-ce qu'il m'a octroyé comme ration
d'oubli, le frangin! J'ai bien failli ne plus jamais me
souvenir ni de mon nom, ni du traité de Westphalie.
Enfin, l'essentiel est que je m'en sois tiré, du moins
provisoirement.

A grand-peine, je me mets sur mon séant. C'est un
exercice des plus périlleux, car de nouveau voilà le
parquet me servant de dodo qui plonge. J'ai saisi. Ces
tordus-là m'ont kidnappé et ils m'ont embarqué sur un
bateau. Il n'y a pas d'erreur, si ce n'est pas dans la cabine
d'un yatch, que je me trouve, c'est à l'Académie française. Du reste, ça sent la mer par là. Un jour bleu, bourré
de soleil passe par un hublot. Il y a des chouettes meubles
en pitchpin, fixés après les cloisons. Souvenez-vous que ce
bateau est tout ce qu'il y a de mheûmheû.

Je repère une couchette d'aspect confortable et je m'y
traîne. Ouf! Je me rends compte seulement maintenant à
quel point je suis endolori. Et puis, zut, j'en ai ma claque
de ce métier... Quand je pense que le monde est plein de
zigotos qui sont, à la même minute, en train de se faire des
cocottes en papier dans les ministères, de pêcher sur les
bords de la Marne ou bien d'expliquer à des chouettes
poupées ce que le créateur avait derrière la tête lorsqu'il a
conçu et réalisé les dames et les messieurs, je me sens
plein de vague à l'âme. Et je donnerais bien dix ans de la
vie du président Truman contre une vieille paire de fixe-
chaussettes pour être un de ces types dont je vous parle.
Parce qu'il n'y a pas besoin d'avoir le nez creux pour
deviner que les ennuis ne font que commencer. Surtout
que je n'aime pas beaucoup les bateaux pour l'excellente

raison qu'ils sont entourés de flotte de tous les côtés, ce qui rend les évasions plus périlleuses, n'est-ce pas?

Et en poursuivant mon raisonnement depuis A jusqu'à la place Vendôme, je comprends au bout de très peu de temps que si les espèces de putois enragés qui voulaient me descendre se sont ravisés, ce n'est pas un bon signe, quoi que vous puissiez penser; ça indique qu'ils attendent quelque chose de moi de pas catholique et qu'ils ne reculeront devant rien pour obtenir ce quelque chose.

Sur ces entrefaites, la porte s'ouvre et deux grosses brutes font leur entrée. Ces gentlemen sont du format armoire en ronce de noyer, ils sont tellement grands qu'ils doivent baisser la tête pour ne pas heurter le plafond. Jamais je n'ai vu des Ritals aussi mahousses.

Ils s'avancent sur moi, l'un d'eux m'attrape par une guibole et me flanque en bas de la couchette. L'autre me dit « Debout! » en ponctuant cet ordre d'un magistral coup de tatane dans les côtelettes. Le mieux, pour l'instant, c'est d'obéir. J'aurai tout le temps de piquer ma crise de nerfs par la suite.

Les deux buteurs m'encadrent et m'entraînent dans la coursive. Nous passons devant les portes des cabines, j'avais raison de penser qu'il s'agissait d'un yacht. Ce bâtiment est un vrai bijou: le cuivre étincelant et le bois verni abondent. Nous escaladons un escalier et nous débouchons sur le pont. Une brise odorante souffle du large. Le pont est tout blanc comme une première communiante; il faut voir comme le soleil se régale là-dessus. Toujours flanqué de mes gardes du corps, je file sur l'arrière. Et là, j'aperçois deux personnes confortablement installées dans des fauteuils à bascule: une femme et un homme. La femme, je la reconnais, c'est la môme blonde qui voulait m'assaisonner; quant à l'homme, je ne l'ai jamais rencontré. Il est vachement beau, je sens que, si j'étais femme, c'est le genre de mec pour qui je ferais toutes les couenneries. A côté de lui, Tyrone Power est juste bon à vider les poubelles. Devant eux, il y a une table basse garnie de boissons glacées; il y a autre chose aussi, que je n'ai pas de mal à reconnaître, c'est la paire de menottes que j'ai toujours sur moi. La fille blonde a suivi mon regard et a souri.

— Pietro, dit-elle à un de mes convoyeurs, adosse le signore au mât, ramène-lui les mains derrière le dos et maintiens-les attachées au moyen de ceci.

Ce disant, elle lui lance mes poucettes.

Deux minutes plus tard, je suis solidement arrimé devant le couple.

Alors la donzelle se met à rigoler.

— Monsieur le commissaire, fait-elle, j'espère que vous ne me tiendrez pas rigueur pour cette précaution, mais l'expérience m'a appris qu'avec vous, il vaut mieux employer les grands moyens.

Je détourne la tête et je me mets à fredonner *Long ago,* c'est un air épatant qui me sert d'exutoire.

— Vague à l'âme? questionne la môme que cette chanson semble autant émouvoir qu'une affiche de défense passive.

— Ça se pourrait, lui dis-je.

Elle se tourne vers son compagnon. Ce dernier se balance languissamment en m'observant.

— Alors, Bruno, attaque-t-elle. Je croyais que vous aviez une petite chose à demander au commissaire?

— J'en ai même plusieurs, déclare le beau gosse en reposant son verre. Je voudrais savoir comment vous avez été amené en Italie pour enquêter et ce qu'est devenu Tacaba.

Je réfléchis un brin et je suis soulagé, ceci pour deux raisons, la première c'est que les plans ne sont pas encore négociés puisque le gang désire savoir comment il a pu être éventé en Italie — ce dont il se foutrait s'il avait conclu son marché; la seconde, c'est que l'idée qui me trottait dans le caberlot comme quoi le signore Luigi Sorrenti serait mêlé à cette histoire est fausse. J'avais pensé que c'était lui qui m'avait donné, mais il n'en est rien, car alors les bandits seraient affranchis sur le sort du gorille.

— Je ne sais pas si vous l'avez remarqué, murmure Bruno, mais j'attends une réponse à mes questions.

Je lui souris tendrement et je regarde du côté de l'horizon. J'aperçois, dans des lointains radieux, la côte sombre et je découvre sur la droite un monticule à la forme caractéristique. Il y a gros à parier que ce promontoire s'appelle le Vésuve, et que cet autre, plus à droite, en forme de casque, est l'île de Capri. J'ai dû rester dans les pommes un petit bout de temps car ces Chinois m'ont fait déjà pas mal voyager.

Mon regard revient au couple, la gosseline ricane ; son compagnon fronce les sourcils. Certainement qu'il ne doit pas être patient. Il se lève sans se départir de sa nonchalance distinguée. Il s'approche de moi et m'en met un à la pointe du menton. Il ne faut pas se fier à l'aspect d'un type, celui-ci n'a pas l'air des plus costaud et pourtant il possède un crochet du gauche qui agacerait Cerdan sur un ring.

— Ecoute, joli cœur, lui dis-je après avoir vérifié du bout de la langue si mes dents ont résisté, tu emploies des arguments qui ne sont pas dignes d'un gentleman.

Il ne répond rien et m'expédie un direct du droit sur la pommette. Je sens ma gogne qui enfle. Pas besoin de s'appeler le fakir Duchnock pour savoir ce que je pense. Le type comprend que si j'avais les mains libres, il ressemblerait dans quelques secondes à une descente de lit usagée.

— Je t'ennuie, hein ? demande-t-il. Si tu ne veux pas que je te rabote la figure jusqu'à ce qu'elle devienne aussi plate et lisse qu'un sous-main, je te conseille de répondre à mes questions.

— Et si j'y réponds, face de pékinois, qu'est-ce que tu m'offres en échange ?

— Si tu me réponds correctement, on te balancera à la flotte avec une bouée et tu te débrouilleras pour regagner la côte. Si tu fais la mauvaise tête, je te ferai tellement de trucs savants que tu ne pardonneras jamais à ta mère de t'avoir mis au monde. Tu vois ce que je veux dire ?

— Je vois.

— O. K. Alors, chante, beau merle.

— Mande pardon, mais le marché ne me convient pas. Il n'est pas réglo. N'est-ce pas, Else ?

C'est une idée à moi. J'ai balancé ce prénom au petit bonheur. Depuis que j'ai vu la fille blonde, je suppose que c'est d'elle que Tacaba rêvait en avalant son bulletin de naissance.

Je ne me suis pas trompé ! Elle sursaute et renverse son orangeade sur le pont.

— Il me connaît ! s'exclame-t-elle.

Alors, je m'offre une bonne dose de culot.

— Et comment ma cocotte, affirmé-je effrontément. J'en sais long sur toi et je ne suis pas le seul.

Je la guette du coin de l'œil. Elle s'est versé un nouveau glass et commence à le siroter tout en réfléchissant.

— Bruno, fait-elle soudain, je voudrais te dire deux mots en particulier.

Docilement, il la suit à l'avant du bateau. Je regarde autour de moi. Il n'y a personne, excepté le matelot qui tient la barre dans le poste de pilotage ; mais il est occupé par sa besogne et ne me prête aucune attention. C'est le moment d'essayer un petit coup. Tout à l'heure, lorsque les deux tordus m'ont passé les poucettes, j'ai employé un petit truc qui a souvent réussi à des crapules de ma connaissance. Ce truc en question consiste à tordre légèrement le poignet au moment où on frappe la partie mobile de la menotte dessus. De cette façon, le bracelet forme une boucle plus large. En ramenant ensuite le poignet dans sa position normale, c'est-à-dire à plat, on peut quelquefois dégager toute la main. J'essaie de me libérer les pognes, à tout hasard. Je suis bien décidé à tenter l'impossible. Je sais bien qu'un de ces quatre, tout malin que je suis, un pied plat quelconque me farcira, mais je voudrais, auparavant, lui démontrer à quoi ressemble un type surnommé San-Antonio lorsqu'il se met en rogne.

Je m'escrime comme une mouche sur du papier collant.

Qu'est-ce que font la môme Else et le Bruno ? Ils doivent manigancer un fourbi pas ordinaire.

Je tire sur la chaîne, ma main décrit des mouvements de reptation, elle doit être toute bleue, je sens mes muscles qui se ratatinent et mes jointures qui craquent. Je continue à forcer et ma paluche se dégage. Je l'ouvre et la referme alternativement une douzaine de fois pour voir si elle fonctionne encore. Tout est O. K. Je fonce en avant, en deux pas j'atteins le rouf et je dégringole l'escalier de bois. Mon intention ? Trouver la cabine de radio — j'ai perçu une antenne sur le pont — et me débrouiller pour envoyer un message. Chaque seconde est un siècle, il faut agir vite. Si seulement j'avais encore mon feu ! Le matelot au gouvernail n'a pas remarqué ma fuite car il aurait gueulé. Soudain me regard se pose sur un aspirateur que le steward a abandonné dans un coin. Il me vient une bath idée. J'ôte ma veste et l'entortille après l'aspirateur. Puis je me précipite à un hublot, l'ouvre et flanque l'appareil au bouillon. Ça produit un gros *plouf*. Je pousse un cri, dans le style du Jules qui ne sais pas nager et qui a la trouille. Un instant, ma veste freine l'engloutissement de l'appareil ; dans le bouillonnement des flots, on jurerait que c'est bien d'un homme qu'il s'agit. Le truc a réussi. Venant du pont, des exclamations me parviennent, j'entends même des coups de feu. Ces pauvres cloches croient que je me suis jeté à la flotte pour éviter d'être torturé.

L'essentiel est maintenant que je trouve une planque. Sur un yacht de plaisance, ça n'est pas facile. Si je reste dans la coursive, je vais être découvert d'un instant à l'autre. Je pousse une porte, au petit bonheur la chance. Et la chance continue de me sourire, car il n'y a personne dans cette pièce. Je referme la lourde doucement. Il était temps, j'entends, j'entends un bruit de pas dans le couloir.

*
* *

La cabine dans laquelle je viens de m'introduire est ravissante. C'est celle d'une femme, because il y a plein d'objets de toilette féminins et des dessous de soie rose qui laisseraient un eunuque rêveur.

Qu'est-ce que vous pariez que voilà le doux nid de la môme Else ? Un examen superficiel m'indique que la chambrette vient d'être « faite ». La couchette est en ordre, et on vient de passer le hublot à la peau de chamois. Donc, si je trouve un petit coin peinard où me dissimuler, je ne crains pas d'être emmouscaillé avant la nuit. Seulement ces endroits-là sont plutôt exigus et le constructeur tire parti de tout. Sous la couchette se trouve un placard. Je l'ouvre, tout est au poil, car ce meuble bas est composé intérieurement d'un unique rayon qui le sépare en deux dans le sens de la longueur. En haut sont rangés les vêtements, en bas est empilée la literie de rechange. Je pratique une niche dans ce compartiment inférieur en ramenant les draps et les polochons sur l'avant du rayon.

Avant de me glisser dans cette planque, je fais un tour d'horizon rapide. Je déniche dans un bar miniature fixé au-dessous du hublot une boîte de nougats et une bouteille de cognac. Je décide d'adopter ces amusettes. J'ouvre le tiroir de la coiffeuse et me trouve nez à nez avec un pistolet de dame à crosse de nacre ; je vérifie le chargeur, il contient ses six balles ; je l'empoche sans hésiter. Maintenant, je me sens en forme pour tenir un siège.

Doucement, je me glisse dans le placard et, pour vous prouver que ma bonne étoile met tout ce qu'elle peut comme éclats, je vous dirai que ce meuble ferme par simple pression et qu'il n'est muni d'aucune serrure ou targette.

Il y a bien des gars vergeots, hein ? Si je n'avais pas une matière grise à haute tension, je vous parie l'aérodrome d'Orly contre un œuf à la coque qu'à l'heure où je vous parle, je serais en train de régaler les poissons avec mes cent soixante livres de bidoche personnelle.

Oui, mais voilà, le petit San-Antonio n'est pas un cave

et, pour espérer lui damer le pion, il ne faut pas oublier de monter son réveil sur trois heures du matin.

Une fois carré dans le placard, je ramène la pile de lingerie contre moi. De cette façon, en supposant même que la belle Else vienne chercher des fringues de rechange, elle ne peut pas m'apercevoir.

Je croque les nougats, ils sont rudement fameux. Bien sûr, je préférerais m'envoyer une omelette au lard, mais tant pis. Comme le disait un pote à moi qui avait sombré dans la purée : « Si j'avais du lard, je ferais bien une omelette au lard... mais je n'ai pas d'œufs ».

Comme ces sucreries m'ont englué le couloir, je me carre la bouteille de cognac sous le nez et je joue au monsieur qui fait son plein d'essence. Dans le noir, je ne peux pas surveiller le niveau du flacon, aussi je suis tout surpris au bout d'un instant de téter à vide. J'enfouis la bouteille sous un traversin et je me détends.

Est-ce l'effet de l'alcool ou la fatigue ? Toujours est-il que je suis à deux doigts de m'endormir. Alors, je me mets à plat ventre pour être sûr de ne pas ronfler.

CHAPITRE V

DANS LE STYLE DE ROMÉO

Le temps que je passe à roupiller, je ne saurais vous le préciser. Lorsque je me réveille, je suis en sueur et j'ai le souffle brûlant ; c'est que l'air n'est pas des plus abondants, ni des plus salubres dans ce placard à la gomme. Je n'ose faire un mouvement car j'ignore si la cabine est habitée. Je déblaie doucement le linge accumulé contre la porte et je pose mon oreille contre le bois. Je n'entends rien, sinon le bruit des vagues et le ronron du navire. Qu'est-ce que je risque ? J'assujettis le petit pétard dans ma main et je pousse la porte. La cabine est vide. Je regarde la pendulette scellée à la cloison ; elle marque dix heures ; le hublot est noir et je me replonge dans le meuble, l'unique solution étant d'attendre les événements.

Les minutes passent, puis les quarts d'heure, puis les heures. Il ne doit pas être loin de minuit quand j'entends s'ouvrir la porte de la cabine. Deux personnes entrent. J'ouvre tout grands mes plats à barbe pour ne rien perdre de leur discussion. Je reconnais les voix d'Else et de Bruno. Et voilà ce que ça donne :

— Fatiguée ? demande le séducteur maison.

— Enervée plutôt.

Il doit s'approcher d'elle et essayer de lui faire une démonstration de mimis mouillés car je l'entends qui proteste.

— Tiens-toi tranquille, Bruno. Que diable, j'ai autre chose en tête.

Lui se met à discuter en italomuche, il roucoule comme un vieux ballot de pigeon, mais ça ne rend pas.

— Tais-toi donc, trépigne-t-elle. Tu ne comprends donc pas qu'il y a un temps pour tout ? En ce moment, je suis préoccupée, tiens, verse-moi un doigt de cognac et va te coucher.

Un petit frémissement me parcourt l'échine. Si le beau ténébreux s'aperçoit que la bouteille a disparu, ne va-t-il pas flairer quelque chose de louche ?

— Dis donc, ta cave est à sec, remarque-t-il.

— Ce sacré Jim doit s'expliquer avec mes flacons, murmure Else. Demain je lui en toucherai deux mots.

— Veux-tu que je le sonne ?

— Pas la peine, verse-moi un verre d'eau. Je n'ai pas non plus l'esprit porté sur des soucis domestiques.

J'entends couler de la flotte dans un verre.

— Vois-tu, poursuit la blonde, ce qui a gâché ma journée, c'est de n'avoir pu crever les yeux à ce flic.

Je vous jure que, dans son placard, le flic en question fait une drôle de trompette.

— Bast, raisonne l'autre, les poissons l'ont fait pour toi.

— Tu es certain qu'il s'est noyé ?

Il émet un ricanement malsain.

— Je l'ai vu, de mes yeux, couler à pic. Je ne sais comment il a fait pour se détacher du mât, mais j'ai idée qu'en plongeant il s'est empêtré dans ses poucettes et, de ce fait, n'a pu nager. Et puis, comme prime, je lui ai mis quelques balles dans le corps. Ne t'inquiète pas de lui, on peut en parler à l'imparfait.

Elle marche dans l'étroite cabine.

— O. K., fait-elle. Maintenant, il faut liquider la grosse question au plus vite. Je ne suis pas tranquille. Si le gouvernement a envoyé un as comme San-Antonio à nos trousses, c'est qu'il est fermement décidé à récupérer les plans. D'autre part, avant que nous interceptions le flic,

ce salaud a dû se mettre en rapport avec les services
secrets italiens et donner tous les détails qu'il possédait ;
or, j'ai dans l'idée qu'il en savait pas mal sur notre
compte. Tout ça n'est pas fameux, Bruno. Si je m'écoutais, je ferais mettre le cap sur Le Caire. En Egypte, nous
serions plus à notre aise.

— Tu n'y penses pas, se récrie-t-il. Tout est au point
ici.

Il toussote.

— Pas de danger, reprend cette enflure avec suffi-
sance, tu as vu ce que j'en fais des as de la police ? Crois-
moi, nous avons tout le temps.

— Oui, mais il y a un autre contretemps.

— Et lequel ?

— Tu le sais bien, le code.

— Bast, nous finirons certainement par lui mettre la
main dessus.

A la façon dont il parle, ce gars-là doit avoir autre chose
en tête que la question des plans. Et je crois comprendre
quoi. Il est latin, beau gosse et, de ce fait, porté sur la
bagatelle. Je suppose qu'il doit reluquer ferme la carrosserie de sa compagne et qu'il donnerait tous les plans du
monde pour la prendre dans ses bras et lui expliquer
comment don Juan s'y prenait avec les souris.

La preuve que je ne me trompe pas, c'est que j'entends
un bruit de baiser. Ce serait tout de même marrant s'ils
jouaient au cousin et à la cousine au-dessus de moi.

Mais, décidément, Else n'est pas en forme ce soir.

— Allez, file, ordonne-t-elle durement à Bruno.

Une pépée me parlerait sur ce ton, moi, je commence-
rais par la poser à plat ventre sur mes genoux et je lui
administrerais une fessée telle qu'elle ne pourrait pas
s'asseoir sur autre chose que du duvet pendant douze ans.
Mais ce Bruno est une pauvre cloche et s'il croit savoir s'y
prendre avec le beau sexe, il se goure vilain.

En matière de ce que vous pensez, avoir une belle
gueugueule, ne suffit pas ; un beau gosse sans volonté n'a

jamais eu plus de succès auprès d'une femme que le génie
de la Bastille. Et si je vous le dis, c'est que je le sais.

Bruno marmonne quelques paroles que je perçois mal
et s'éloigne. J'entends claquer la porte. Else donne un
tour de clef à la serrure.

Maintenant, nous sommes entre nous.

Je retiens mon souffle et maîtrise mes nerfs. Si par
hasard la belle gosse s'apercevait de ma présence ici, elle
me jouerait une blague carabinée, et ce lui serait d'autant
plus aisé que la position dans laquelle je me trouve m'ôte
toutes possibilités d'exécuter un numéro à grand spectacle.

Elle se dévêt, j'écoute le bruit soyeux de ses dessous
qu'elle balanstique sur un siège, ça me contrarie un peu
parce que, on a beau être l'ennemi de ce petit lot, il est
impossible d'oublier son académie, et du point de vue
physique, cette fille-là ferait la pige à toutes les stars
d'Hollywood. Je m'efforce de penser à autre chose. Ainsi,
je me mets à analyser la conversation qu'a eue le couple
tout à l'heure. Je m'efforce d'en tirer des conclusions,
c'est une douce manie qui m'a toujours réussi.

Il appert de l'exclamation du zigoto : « Tout est au
point ici ! », que nous sommes pas loin de la côte
italienne. Sans doute ces crapules avaient piqué sur le
large uniquement pour me travailler et se débarrasser de
ma petite personne tout à leur aise.

Secundo, ça ne carbure pas bien relativement à l'invention, car Else a parlé de sa contrariété au sujet d'un code
qui leur fait défaut.

Peut-être que si je parviens à m'évader de ce rafiot, ma
position ne sera pas mauvaise.

Qu'en dites-vous ?

Pendant que je me livrais à ces réflexions encouragean-
tes, Else s'est pagnotée. J'attends encore un peu ; sa
respiration est devenue très régulière. Tant pis, je risque

le paquet. En douce, je pousse la porte du placard, le plus périlleux, c'est le bruit de déclic qu'elle produit en s'ouvrant. Heureusement, il y a le floc incessant des vagues qui forme une toile de fond sonore. Rien ne bouge sur la couchette.

Je pense que les émotions de la journée ont fatigué la poulette et qu'elle en écrase comme une reine. Je lui prépare un petit réveil dont elle se souviendra un moment. Sans faire davantage de bruit qu'un lézard sur une descente de lit, je m'extrais de ma boîte. La cabine est obscure, mais comparativement au placard d'où je sors, j'y vois assez clair pour lire la date gravée à l'intérieur d'une alliance. Il faut dire que des petits morceaux de clair de lune filtrent par le hublot.

Else est étendue sur son dodo dans un pyjama de soie blanche, ses longs cheveux blonds dénoués auréolent sa tête d'or. Sa poitrine tend la veste du pyjama. Croyez qu'il est navrant de voir une beauté de ce format à la tête d'un gang international alors qu'elle pourrait se faire un blé terrible en tournant des films.

Je m'approche de la couchette et j'allume la lampe de chevet. La lumière, malgré qu'elle soit tamisée et douce, trouble le sommeil de la souris. Cette dernière bat des paupières, puis ouvre les yeux; elle semble ne pas me voir, mais brusquement, elle sursaute et s'accoude sur son oreiller.

— Hello, Else, dis-je gaiement. Ça t'en bouche une surface, hein, ma colombe?

Mais elle ne peut proférer le moindre son car elle est littéralement sidérée.

Je souris et m'approche tout près d'elle. Je prends sa tête à deux mains, sans qu'elle songe à se libérer et je l'embrasse à ma façon. Ce baiser-là a l'air de lui faire de l'effet car j'aperçois ses yeux qui chavirent. Je sens que si je voulais, je pourrais profiter de la situation; du reste, Else n'attend que ça, mais je la repousse et lui flanque une paire de gifles maison.

— Tu apprendras, lui expliqué-je tranquillement, que

je fais toujours ce qui me plaît. J'avais envie de goûter à quoi était ton rouge à lèvres et de te coller une paire de tartes et me voilà assouvi ; maintenant, nous allons causer.

Elle a l'air complètement cinoquée.

— San-Antonio, balbutie-t-elle, vous êtes le type le plus extraordinaire que j'aie jamais rencontré.

— Ne te fatigue pas, ma chérie, tu n'es pas la première qui me dit cela, et si je te racontais par où je suis passé dans ma chienne de vie, tu écrirais un bouquin gros comme ça et ce serait le best-seller de l'année.

« Mais passons. Puisque tu as l'air sage comme l'agneau qui vient de naître, je vais, en deux temps trois mouvements, t'exposer la situation telle qu'elle se présente. Voilà : tu es une bath gamine doublée d'une fichue garce, seulement comme je ne suis pas ici pour faire des études de mœurs, je m'en balance un tantinet.

« Tu diriges une bande de repris de justice et d'assassins et tu en as assez sur la patate pour que n'importe quel jury t'expédie à l'abbaye de Monte-à-Regret sans que le président de la République lève le petit doigt pour empêcher ça, mais nous ne sommes pas en France et ça ne me regarde pas.

« Tu as essayé de me dessouder et tu es prête à recommencer à la première occasion, mais je m'en tamponne parce que je me sens assez pubère pour t'envoyer aux prunes en cas de besoin.

« Enfin, tu as fauché les fameux plans et tu t'apprêtes à les laver au premier tordu qui s'amènera avec une lessiveuse de dollars ou de roubles, alors là je me manifeste. Pour ne rien te cacher de mes convictions intimes, l'énergie atomique, je m'en tape le derrière par terre parce que je suis un sage et que je trouve qu'on a suffisamment d'enchosements comme ça sur la Terre. Seulement, il y a le boulot, le devoir et un tas de machins de ce genre qui ne doivent rien signifier pour toi mais pour lesquels je risque cent fois par jour de me faire mettre l'intestin au grand air. C'est un mec français qui a mis l'appareil au point et il ne se sera pas cassé la nénette

pour enrichir une bande de lopettes, tu saisis, mignonne ?
Alors, tu vas me rendre les plans dans les deux minutes
qui suivent, faute de quoi, lorsque ton Jules, le gominé et
dénommé Bruno, viendra pour te bécoter au matin, ce
qu'il trouvera sur cette couchette le dégoûtera tellement
des gnères qu'il entrera dans un cloître, tu saisis toujours ?
Autre chose, ne crois pas que je reculerai devant l'extrême, ce ne sont ni tes yeux de lavande ni ta bouche à la
fraise, ni les deux trucs que tu portes sur le devant qui
peuvent m'amadouer. Je suis comme ça et si tu ne me
crois pas, tu n'as qu'à regarder mes châsses pour te rendre
compte que je ne bluffe pas.

Je reprends ma respiration ; après une tirade pareille, je
n'ai rien d'autre à faire.

Elle me regarde droit dans les yeux.

— Je te crois, dit-elle, toi au moins, tu es un mâle, les
plans, les voilà.

Elle saute de son pageot et se précipite à la coiffeuse
dont elle ouvre le tiroir. Une exclamation fuse de ses
lèvres. Elle se retourne et me regarde. Moi je suis assis sur
son dodo et je me cintre comme le nègre de la réclame
pour le Banania. Je joue avec son pétard à crosse de nacre.

— Ma pauvre Else, lui dis-je, tu as tout de la nave.

Cette fois, elle en a un coup dans la pipe. Elle sent que
vraiment le garçon qui est en face d'elle n'a pas un pois
cassé en guise de cervelle.

— En somme, poursuis-je, la seule ressource que tu as,
hormis celle que je te propose, c'est d'ameuter les gens du
bord. Je tiens à insister sur le fait que ce serait signer ton
arrêt de mort. Au point où j'en suis...

J'allonge le bras et l'empoigne. Elle se laisse remorquer.
Quand elle est tout près de moi, j'y vais d'une nouvelle
tournée de gifles. Et ça n'a pas l'air de lui plaire.

— Poulet du diable ! rugit-elle, j'aurai ta carcasse.

— Tu l'auras peut-être, oui, ma biche, mais à côté de la
tienne dans un tiroir de la morgue.

Brusquement, elle se calme.

— Tout ça n'est pas raisonnable, fait-elle d'un air abattu.

— Tiens, tu débarques !

— Soyons sérieux, objecte-t-elle, je sens bien que pour moi la partie est perdue, je suis à votre merci.

Ce calme soudain sent l'orage, comme lorsque le vent s'arrête brusquement de souffler. Je fais semblant de tomber dans le panneau.

— Tu as l'air de te calmer, Else, et ça ne me débecte pas, attendu que je préfère discuter gentiment. Dis-moi où sont les plans et tu n'entends plus parler d'un ouistiti qui se tient devant toi avec ses poches bourrées d'arguments de valeur.

— Mince alors, dit-elle. J'aimerais tout de même récupérer un peu sur cette affaire. N'y a-t-il pas moyen de transiger ?

Je hausse les épaules.

— Allons, ne mégote pas. Je t'offre ta peau et ta liberté en échange des plans, il me semble que je suis réglo.

Else fait les cent pas dans la cabine, les sourcils froncés. Je ne m'aperçois de rien, bien que je ne la perde pas de vue et je suis drôlement marron quand j'entends frapper à la porte, en même temps qu'une voix questionne :

— La signorita a sonnate ?

Je regarde Else, une lueur mauvaise et narquoise brille dans ses yeux de biche. Je lui ajuste un crochet du gauche à la mâchoire et elle s'écroule ; me voici tranquille avec elle. Je vais à la porte et tire la targette puis j'ouvre en me tenant de côté. Le gorille appelé Pietro fait un pas dans la pièce. On dirait un sanglier. Je bondis sur lui et lui flanque un coup de crosse sur la tête, mais il esquisse un pas à gauche et je lui arrache seulement l'oreille.

Aïe ! ça va barder. Si je m'en tire, c'est que mon ange gardien fait des heures supplémentaires.

En vitesse, je ferme la lourde pour limiter le chahut. S'il y a du raffut, je suis cuit.

Pietro est légèrement estomaqué ; pas trop cependant car il sort son feu de sa ceinture. Avant qu'il ait achevé son

geste, je tire et il prend une petite 6,35 dans le cœur. Le
voilà par terre. La cabine est pleine de son cadavre, c'est
comme s'il y avait un bœuf sur le parquet ciré.

Mais la détonation, pourtant faible, a intrigué son
copain, le mammouth, qui radine à la rescousse. Je suis
gonflé.

— T'en veux aussi ? dis-je. En voilà.

Et je presse encore sur la détente.

Croyez-moi ou ne me croyez pas, mais deux macchabées
de ce format dans une petite pièce de deux mètres
cinquante sur deux, ça produit le même effet que des
quintuplés dans un seul berceau. Je les enjambe et passe
ma physionomie dans le couloir ; personne. Le bruit des
balles s'est perdu dans la rumeur des flots. Il y a tellement
de heurts, de grincements, de chocs sur un bateau qu'une
de plus ou de moins passe inaperçu.

Je mets mes deux compères en tas et je referme la
lourde. Après quoi, je remplis un verre de flotte au
robinet et le verse sur le portrait d'Else. Tandis qu'elle
reprend ses esprits, je repère la sonnette qu'elle a
actionnée : celle-ci est située contre un des montants de la
couchette, c'est ce qui fait que je n'ai pas vu le geste de la
môme blonde lorsqu'elle a appuyé dessus. Par mesure de
sécurité, je coupe le fil.

— Excuse-moi, dis-je à Else. Je n'ai pas pour habitude
de bousculer les dames, mais tu as, comme on dit dans la
littérature d'aujourd'hui, créé une situation d'où il fallait
que je sorte. Maintenant, pour te prouver que je ne suis
pas ici pour jouer à la main chaude, tu vas jeter un coup
d'œil par terre.

Elle obéit, son visage devient vert.

— Ils... ils sont... morts ? questionne-t-elle.

— La momie de Ramsès II ne l'est pas davantage,
assuré-je. Ceci pour que tu te mettes bien dans l'entende-
ment que j'en ai marre de tes gamineries. Je n'aime pas la

bagarre, mais lorsque je m'y mets, on ne peut plus m'arrêter. Et je peux t'assurer que si je n'ai pas les plans dans cinq minutes, ton bateau du diable ressemblera plus au Père-Lachaise qu'à un yacht de plaisance.

Tout en parlant, je me suis emparé de ses bas qui traînaient sur un siège et je lui attache les bras et les jambes avec.

— Que vas-tu me faire ? balbutie-t-elle.

— C'est selon. Si tu ne me donnes pas les plans, je te liquide. Et tu ne t'en tireras pas avec du plomb dans la viande, c'est bien trop expéditif pour une roulure comme toi : tu sais, ma mignonne, j'ai de l'imagination, je peux mettre le feu à tes fringues, t'arracher les tifs ou t'enfoncer des aiguilles sous les ongles...

Je lui débite mon petit boniment sur le ton glacé. Intérieurement, je jubile parce que ça prend. Cette cocotte me croit vraiment capable de mettre ces promesses à exécution.

Elle me désigne du menton une gravure fixée à la cloison qui représente un paysage hollandais.

— Touche la gravure à l'endroit du pont, dit-elle.

J'obéis, je sens sous mon doigt une rainure. L'image glisse, découvrant un petit coffre. J'ouvre celui-ci, et je soupire d'aise ; les plans sont là, je les reconnais car, avant de partir pour l'Italie, mes chefs m'en ont fait une description très poussée.

Je les prends et je les plie en quatre, après quoi je tâte les poches de mon pantalon — puisque je n'ai plus ma veste. J'en extrais une blague à tabac en caoutchouc qui me sert à tout sauf à conserver du tabac puisque je ne fume que la cigarette. J'y serre les papelards. Après quoi, je me tourne vers Else.

— O. K., poulette. Ça biche. Tu vois qu'on finit toujours par s'entendre. Je sens que si nous poursuivions les mêmes fréquentations, nous finirions par cavaler jusqu'à la plus proche mairie pour nous épouser tout vifs. Alors, il vaut mieux que nous nous disions adieu.

Je dénoue ma cravate et lui la fourre dans la bouche.

Après quoi, je noue une serviette-éponge par-dessus. De cette façon, la donzelle ne pourra plus crier.

Je lui donne une claque sur la partie pile de son académie.

— Bye, bye, chérie.

Je sors en prenant soin de bien refermer la lourde. La coursive est déserte, le pont aussi. A quelques encablures, j'aperçois la terre ; décidément, tout est parfaitement orchestré.

Je file sur l'arrière et saisis un filin qui pend ; grâce à lui, je peux descendre dans l'eau sans bruit.

Je nage en direction du rivage proche. Je ne sais pas si ma brasse est académique, mais je vous assure que le champion du monde n'existe pas à côté de moi. J'en mets un fameux coup. Et je jubile vachement. Pour un zig verni, je suis un zig verni. Quelques bosses, une baignade nocturne et les plans sont à moi. Rarement, je n'ai conclu une sale histoire de ce genre aussi rapidement. Evidemment, il y a eu de la casse en quarante-huit heures. Si mes souvenirs sont précis, je compte cinq allongés : le resquilleur de Turin, Tacaba, le bistroquet de Rome et les deux chourineurs de la môme Else, comme c'était tous des balèzes, on peut assurer qu'il y a eu au moins cinq cents kilos de bonhommes mis en l'air.

Faites le compte vous-même.

Et si vous ne trouvez pas votre taf, écrivez à mon éditeur, mais n'allez pas rouscailler auprès de lui parce qu'il pèse lui aussi dans les cent vingt kilos. Et comme c'est un gentleman pas commode, si votre bouille ne lui revient pas, il peut très bien vous faire avaler votre râtelier d'un coup de paluche.

DEUXIÈME PARTIE

LES DERNIERS
CINQ CENTS KILOS

CHAPITRE PREMIER

BONNE CHANCE!!!

Un vent léger court au ras des flots, cependant, la mer est tiède et calme. Après mon séjour prolongé dans le placard, cette baignade nocturne ne me fait pas de mal. Au bout d'une demi-heure, j'atteins la rive. C'est plein de palmiers dans ce quartier; l'air sent l'ambre et la terre chaude.

Je m'ébroue comme un clebs et je me repère; à l'horizon monte un halo de lumière, il s'agit d'une ville. Celle-ci est immense. Elle décrit un croissant au bord de la mer; je suis à peu près certain que c'est Napoli. Je me mets en route dans cette direction et je ne tarde pas à atteindre les premiers faubourgs. Deux coups sonnent quelque part, je croyais que la nuit était plus avancée que ça, il est vrai qu'on peut abattre pas mal de besogne — et de bonshommes — en un temps relativement court.

Je suis surpris d'apercevoir des silhouettes dans les ruelles, il y a en circulation des copains qui, malgré les médailles qu'on voit briller à leur cou, n'ont pas l'air tellement catholiques. Ce serait le bouquet si je me faisais assaillir par une bande de vauriens et si ceux-ci me piquaient les documents en même temps que mon blé. Ça vous surprend que je parle de mon fric, et vous croyez pouvoir me contrer en objectant que j'ai le tantôt balanstiqué ma veste au jus en même temps que l'aspirateur, mais apprenez une chose, c'est que je suis toujours prêt au pire, c'est pourquoi, d'une façon générale, je mets le plus

intéressant de mes papelards et de mon osier dans les
poches de mon bénard.

Décidément, je trouve que les indigènes du coin ne sont
pas des ingénus. Comme j'en ai plein le bol de ramasser
des gnons, je décide de prendre les devants. Je m'approche d'un groupe avec mon air le plus chou. Les types se
taisent, ils me regardent venir en me surveillant d'un
regard oblique. Ils ont l'air assez décontenancés. Je réunis
toutes mes connaissances d'italien et je me lance :

— *Prego, signori, parlate francese ?*

Un des types murmure quelque chose aux autres et me
dit :

— Si, monsieur.

Alors, je me mets à lui expliquer que je me baladais au
bord de la mer en compagnie d'une bath pépée que j'avais
levée à la terrasse d'une brasserie et que, parvenu dans un
endroit désert, deux individus s'étaient jetés sur moi et,
après m'avoir dépouillé de mon pognon et de ma veste,
m'avaient poussé au bouillon. J'ajoute que s'il avait la
bonté de m'emmener jusque chez le consul de France —
qui est un ami — il serait largement récompensé.

Il dit gigo, explique le code à ses acolytes et me fait
signe de le suivre.

Comme cela, me voilà paré. Je ne risque pas de faire de
mauvaises rencontres puisqu'un voyou me sert d'escorte.

Le consulat de France est en pleine ville. C'est une
maison pépère, style Médicis. Au-dessus de la porte,
j'aperçois la plaque ovale sur laquelle je lis ces mots qui
me ravissent : *République Française*. Je me mets à carillon-
ner, ce qui a pour résultat de déclencher les aboiements
d'un chien à l'intérieur.

Je recommence, bien décidé à jouer les cloches de
Corneville jusqu'à ce qu'il me vienne de la corne dans les
mains.

Enfin, une lumière s'éclaire au premier. Je vois une tête ébouriffée qui demande :

— Qu'est-ce que c'est ?

— Je veux voir le consul.

— A cette heure !

— Il n'y a pas d'heure pour un type en mission. Prévenez illico le consul que je suis envoyé par le gouvernement français et qu'il doit me recevoir sur-le-champ.

Je fouille mes poches et je tends un billet à mon guide. Il le prend, complètement éberlué.

— Les bandits m'avaient laissé celui-ci pour toi, fais-en bon usage et apporte la monnaie à ta vieille mère. Maintenant, tu peux te barrer.

Il balbutie un vague remerciement et s'éloigne.

Pendant cette petite diversion, d'autres fenêtres se sont éclairées dans la baraque. Bientôt la porte s'entrebâille.

— Que désirez-vous ?

Je reconnais le pignoufle qui m'a parlé à la fenêtre. Enervé, je pousse la lourde d'un coup d'épaule et j'entre dans un hall rupinos.

— Vous faites de l'amnésie, mon vieux, dis-je au type en pyjama qui se tient devant moi. Je vous répète que je dois avoir un entretien avec le consul immédiatement, je sais que je n'ai pas une tenue adéquate, mais si rien d'extraordinaire ne se passait, je serais au dodo comme vous et je pioncerais tellement fort qu'une batterie de D.C.A. ne parviendrait pas à me réveiller. Vous êtes le larbin, je suppose ?

— Oui.

— Alors, allez dire à votre patron que le commissaire San-Antonio, des services secrets français, a quelque chose de chouette à lui raconter.

Ce crétin semble avoir une lueur d'intelligence. Il me fait un signe d'assentiment et grimpe un escalier de marbre. Quelques secondes plus tard, je vois rappliquer un type en robe de chambre bordeaux. Il est grand, mince, bronzé, entre deux âges, grisonnant, distingué et il n'a pas l'air d'un topinambour, je vous assure.

— Vous êtes le consul ?

— Parfaitement. Mon domestique m'a dit...

— Que j'étais un noyé repêché de justesse.

Il sourit.

— Il m'a aussi affirmé que vous apparteniez aux services secrets français.

— Il a dit la vérité.

Je tire mon insigne de ma poche.

— Voici ma plaque.

Je sors mon portefeuille ruisselant et cherche ma carte. Je la lui tends.

— Commissaire San-Antonio. Elle est un peu humide, comme moi, mais j'espère qu'on peut encore lire ce qui est écrit dessus.

Il examine ces différentes pièces et me les rend.

Je vous le redis, ce type a de la classe, on sent qu'il n'a pas fait ses humanités au bistrot du coin.

— Parfait, je vous écoute.

Alors, aussi brièvement que possible, je lui fais le récit de mes avatars depuis le début. Je lui explique que j'ai pu mettre la main sur les documents, mais qu'il y a certainement toute une bande de pourris qui doivent me galoper au derrière avec suffisamment de flingues dans les poches pour s'emparer de la préfecture de police.

— Je viens, dis-je en guise de conclusion, me mettre sous votre protection. S'il ne s'agissait que de mes os, je ne vous aurais pas réveillé, car je suis assez grand garçon pour ramoner le caberlot de ces dégourdis, mais il y a ces plans. Et je vous assure que je préférerais avoir à convoyer une famille entière de serpents à lunettes plutôt que ces morceaux de papier. Alors, si vous le voulez bien, je vais câbler illico à mes chefs pour leur expliquer où en est mon enquête et leur demander des instructions pour faire rentrer les documents au bercail.

Le consul me dit que c'est d'accord. Nous enfermons ma blague à tabac dans son coffre, nous envoyons un message téléphoné en priorité diplomatique. Après quoi, il sonne son larbin et lui ordonne de me donner des fringues sèches, une chambre et de quoi fumer; puis il ajoute qu'après cela le valeton devra dresser une table de deux couverts et servir un souper gentillet, sans oublier de mettre un Pouilly-fuissé à la glace et deux bouteilles de Châteauneuf à chambrer.

— J'aurais grand plaisir à grignoter en votre compagnie, me dit-il.

Tous ces détails pour vous donner un aperçu sur les manières d'un gars qui sait vivre.

Après avoir cassé la croûte, nous nous installons dans des fauteuils, sous la véranda. J'ai à la main droite un verre ballon à moitié rempli de cognac et je vois la vie exactement comme on devrait toujours la voir : du bon côté de la lorgnette.

Le consul me parle de Naples qu'il juge épatante.

— La plus curieuse ville du monde, m'assure-t-il. On y mène une existence très différente de chez nous, et même de celle de l'Italie du Nord. Demain, je vous piloterai dans les rues du bas quartier et vous verrez les étals en plein air, les artisans qui œuvrent dans la rue, les marchands de fruits qui hurlent leur marchandise, et les petits autels illuminés dans chaque boutique avec des gravures religieuses, des espèces d'icônes. Inouï, mon cher commissaire.

C'est son dada. Je le soupçonne d'être un idéaliste. Enfin, c'est son blaud à lui...

Je liche mon verre et je réprime un bâillement.

Le consul aussitôt se lève et me conduit à ma chambre. On se dit bon matin en se marrant, on se serre la pince et je me catapulte entre une paire de draps.

Ce sont les oiseaux qui me réveillent. Ils font un foin de tous les diables. Lorsqu'on en entend gazouiller un, on trouve ça charmant, mais lorsqu'ils sont des centaines à discutailler, on préférerait être assis au milieu d'une station de métro. Je m'étire et je m'assieds sur ma couche. Par la baie vitrée, je découvre un paysage de rêve : Naples, flamboyante sous le soleil, paresseusement allongée en arc de cercle. La mer dans laquelle on a dû laisser dégringoler quelque chose comme bleu à lessive... Et le Vésuve dans le fond, couronné d'une vapeur ténue. Sapristi, ce que je m'exprime bien ce matin !... Je dois encore me trouver sous l'influence de mon consul.

Je saute du pieu et passe dans le cabinet de toilette. Une bonne douche et me voilà tout neuf. Je m'habille en sifflotant *Rhapsody in Blue,* mon hôte m'a procuré un costume gandinus. C'est un vêtement croisé en gabardine gris-bleu, avec ça il a mis une chemise grise à col italien, une cravate bleutée, des pompes à semelles de crêpe et des chaussettes à rayures bleues et grises. Lorsque je me suis sapé, je pousse une exclamation, je ne reconnais pas le beau mec qui fait des effets dans la glace et j'ai envie de me présenter à lui. Sûrement que si Félicie me voyait, elle croirait que je suis tombé en digue-digue pour une poulette.

Satisfait de ma carrosserie, je descends à la salle à manger. Il y a là mon hôte et sa femme. Je réprime un sifflement d'admiration car la personne qui me tend la main avec grâce ne s'est pas planquée dans un abri-refuge le jour où on a distribué la beauté. Elle est brune avec des yeux bleu clair et le plus chouette sourire qui ait jamais paré une paire de lèvres.

— Ainsi, commissaire, fait-elle, grâce à vous, nous vivons un roman d'aventures.

J'esquisse une petite moue modeste, dans le genre de « c'est la moindre des choses ».

Elle me fait asseoir et me prépare elle-même mon café et des toasts. Entre parenthèses, je préférerais plutôt un coup de raide, mais puisque je suis dans le monde, je joue à l'incroyable. Si je restais longtemps chez ce diplomate, j'acquerrais tellement de belles manières qu'à mon retour à Pantruche on me prendrait pour le chef du protocole.

Comme j'achève ma tasse, un petit doigt levé et la bouche en chemin d'œuf, le larbin de la nuit, astiqué comme une selle de jockey, apporte la réponse à mon câble. Je demande la permission d'en prendre connaissance et je me dégrouille de traduire les phrases, apparemment incohérentes, en clair.

Je lis l'ensemble et ne peux retenir un petit sifflement. Voici la teneur du télégramme :

Félicitations à commissaire San-Antonio pour diligence et succès — stop — Prière remettre documents à ambassadeur de France à Rome qui fera rentrer par valise diplomatique — stop — Continuer investigations pour récupérer code — stop — Très important parce que code peut fournir indications sur travaux — stop — Bonne chance — stop — Terminé.

Je me gratte le crâne d'un index rageur. Moi qui croyais pouvoir regagner Paris, je suis marron. Et non seulement je reste, mais il va falloir que je replonge la tête la première dans ce nid de serpents.

Bonne chance ! qu'ils disent, les chefs.

Je voudrais bien les y voir. C'est pas difficile de crier bonne chance au gars qui va sauter à motocyclette du haut de la tour Eiffel lorsqu'on est assis peinard, dans un fauteuil.

Repris par le souci des convenances, j'explique à mes hôtes de quoi il retourne.

— Grand Dieu, mais c'est épouvantable ! s'indigne la belle dame.

Son mari qui est bien regonflé avec les histoires de *devoir avant tout, France d'abord, etc.,* n'a pas l'air de trouver cela tellement surprenant.

— Je vous aiderai de mon mieux, affirme-t-il simplement. Je connais à fond ce pays et j'y compte beaucoup d'amis, nous pouvons vous être utiles.

Vous pensez si ces paroles me mettent du baume sur la patate ; je saute sur la proposition comme une respectueuse sur le porte-monnaie d'un collégien.

— Entendu, vous êtes un type merveilleux.

— Merci. Alors, quels sont vos projets ?

Je réfléchis à toute allure.

— Eh bien, filer à Rome afin de me débarrasser du petit colibard que vous savez, et ensuite recommencer la lutte. A quelle heure y a-t-il un train ?

Il regarde sa montre.

— Dans une heure.

— Parfait.

Le consul hésite puis il me propose soudain.

— Voulez-vous que nous y allions en voiture ? J'ai une Talbot très honnête et un chauffeur à la page, en quatre heures nous y serions.

Je me mords la lèvre inférieure.

— C'est très gentil à vous, dis-je (comme le font les personnages des romanciers anglais), mais je ne voudrais pas qu'il vous arrive quelque chose... Nous n'avons pas affaire à des enfants de troupe et ces crapules vont tenter l'impossible pour récupérer les plans si ça leur paraît faisable.

« En ce moment, je vous parie le Vésuve contre un ouvre-boîte usagé qu'ils ont retrouvé ma trace — ça n'avait rien de duraille — et qu'il y a une sentinelle qui surveille votre crèche. Non, non, je ne peux accepter votre offre. »

La femme du consul objecte :

— Mais dans ces conditions, vous risquez le pire.

Je la regarde d'un air amusé.

— Je passe ma vie à la risquer.

— Possible, renchérit mon hôte, néanmoins votre abnégation mise à part, il faut penser à sauver les documents.

— Faites-moi confiance, j'en ai vu d'autres.

Ma confiance n'est pas communicative car le couple

paraît soucieux. Evidemment ces bons bourgeois ne sont pas habitués à vivre des drames de ce genre.

La femme surtout est plus excitée que par un bouquin de Louis-Charles Royer. Elle se trémousse comme si elle s'était assise sur une fourmilière.

— J'ai un plan, s'écrie-t-elle soudain.

Je fais le type intéressé, mais entre moi et moi, je me fais remarquer que des plans il y en a beaucoup trop dans cette histoire et si les petites femmes en mal d'aventures se mettent à en échafauder, alors je vais finir par démissionner, après quoi je me consacrerai à la vente du lapin sauteur devant la Samaritaine.

Pourtant, la petite dame est jolie à un point excessif, et si son mari n'avait pas été aussi chic avec le gars San-Antonio, peut-être bien que je lui jouerais ma scène du II, vous savez bien, celle au cours de laquelle le héros tombe aux genoux de la belle poupette et lui dit de faire gaffe en marchant parce que son cœur est à ses pieds. Oui, cette femme est un beau lot et j'ai toujours tendance à ouvrir grandes mes targettes quand une belle gosse parle.

Voilà ce qu'elle dit, et si vous êtes moins bouchés que je le suppose, vous vous apercevrez que ce n'est pas tellement couillon.

— Les gangsters pensent que vous avez ce qu'ils cherchent sur vous et ils vont donc essayer de le récupérer. Pour cela ils vous suivront afin de trouver l'instant opportun pour vous assaillir. Votre seule chance est donc de tromper leur surveillance.

Je souris, amusé par la ride têtue qui sépare ses sourcils.

Elle poursuit :

— Je vois une tactique à adopter si vous voulez les duper à nouveau. Le chauffeur vous conduira à la gare, Gaétan et vous, avec la Simca. Vous y prendrez votre billet et monterez dans le train ; je suppose que ce sera pour vous l'enfance de l'art que d'en descendre sans vous faire remarquer, au moment où il partira. Vous quitterez la gare par une sortie de côté, tandis que, pour donner le change, Gaétan continuera sur Rome.

« Moi, je serai avec la Talbot dans les parages. Je crois que j'ai un joli coup de volant ; vous aussi, je suppose. En nous relayant, nous arriverons à Rome avant le train. »

Avant de donner mon appréciation, je jette un coup d'œil à mon hôte. Il semble boire les paroles de sa femme. Il a l'œil fier du bonhomme qui se rend compte qu'il n'a pas épousé un camembert moisi.

— Supérieurement échafaudé ! déclare-t-il. Votre avis, commissaire ?

Je toussote.

— Je fais mes compliments à madame pour son habileté à ourdir des complots (je reprends mon souffle et me décerne un accessit en locution) mais, j'en reviens à ma première objection et la renouvelle avec plus de fermeté encore, je ne puis accepter de vous embarquer, mon cher consul, vous, et surtout madame, dans ce guêpier, le danger est trop grand.

Il se lève, l'air outragé. Je sens qu'il va me balanstiquer une phrase à la Cyrano et, en effet, il dit en cambrant la taille :

— Commissaire, nous sommes ici en service commandé nous aussi ; certes, il s'agit d'un poste plus honorifique que dangereux, mais un Français, surtout lorsqu'il se nomme Gaétan Pival de Roubille (tout s'explique) ne saurait trembler devant un ennemi, quel qu'il soit.

Il n'y a pas à ergoter. Mon interlocuteur est de la même race que l'autre dugland qui avait escaladé la barricade en bramant qu'il allait faire voir comment qu'on se fait dessouder pour quarante ronds.

Tirez les premiers, messieurs les Anglais ! La garde meurt mais ne se rend pas ! A moi, Auvergne, voilà l'ennemi ! et toute la lyre...

Vous entravez ?

Ma décision est adoptée.

— Soit, j'accepte.

J'ajoute, histoire de le galvaniser tout à fait :

— Dans mon rapport, je signalerai votre conduite

exceptionnelle. J'espère que notre gouvernement sait récompenser les siens, quelquefois.

Il fait mine de ne pas avoir entendu et prend un air lointain. Tellement lointain qu'il doit déjà se voir sur l'esplanade des Invalides en train de se faire cloquer la Légion d'honneur par le papa Auriol.

Sa femme me regarde en souriant ironiquement. Je vois qu'on pense la même chose tous les deux.

Cette souris, je ne vous le dirai jamais assez, a un cerveau qui n'est pas bouffé des mites.

Sans blague, la proposition de madame Gaétan Truque-muche-je-ne-sais-plus-quoi est tombée à pic car au moment où je quitte la crèche du consul dans sa Simca 8, j'aperçois une bagnole qui décolle du trottoir et se met dans notre sillage.

— Sapristi, dis-je, avez-vous un soufflant ?

— Un quoi ?

— Un revolver ! Ces crapules m'ont fauché mon Lüger et je n'ai même pas un cure-dent pour me défendre s'il y a du grabuge.

Le consul interpelle son chauffeur.

— Y a-t-il une arme dans le tiroir du tableau de bord ?

D'une main, le larbin inspecte la niche qui contient des cartes routières. Il finit par en extraire un Walter boche de 7,65. Avec ça on ne peut pas s'attaquer à un régiment de *panzer*, mais, du moins, on se sent moins seul. Je vérifie si le chargeur est plein et je le fourre dans ma poche. Nous suivons une large artère très animée. Ici, les tramways roulent au ras des trottoirs, tandis que les bagnoles circulent au milieu de la rue. Je surveille l'auto suiveuse, c'est un grand toboggan noir ; je crois reconnaître, assis dans le fond, Bruno, le beau ténébreux de la môme Else. En voilà un qui n'a pas encore compris qu'il ne s'agit pas d'une partie de dames et que, d'ici la fin de mon boulot — s'il s'obstine à me chahuter — il sera tellement percé de trous qu'on pourra se rendre compte du temps qu'il fait en regardant à travers lui.

— Sommes-nous suivis ? me demande mon hôte.

Je le regarde en souriant. Le Gaétan est peut-être un as pour ce qui est de délivrer des passeports, mais question police, il n'a pas plus de jugeote qu'une pierre à briquet.

— Un petit peu, fais-je. Tout se passera bien si nous avons l'air naturel.

Parvenu à la gare, le consul empoigne sa valise et dit adieu au chauffeur. Comme il a fait retenir nos places, nous filons directement sur le quai de départ et nous grimpons dans notre compartiment de première qui est vide. Je me dis que c'est une chance que ce soit Bruno qui s'occupe de moi, car il ne peut, puisque je le connais, venir s'installer à nos côtés.

Le train va partir dans quatre minutes. Je baisse la vitre à contre-voie et examine les lieux. Il y a un autre train sur la voie voisine ; un vieux tacot rempli de gougnafiers de la parpagne. Peut-être bien que ça va marcher.

— Allez dans le couloir, dis-je à mon compagnon. Au moment où le train s'ébranlera, vous vous pencherez par la portière donnant sur le quai et vous appellerez très fort une personne imaginaire. Comme nos oiseaux sont quelque part dans le train à nous guetter, leur attention se portera sur vous et j'en profiterai pour m'évacuer en douceur.

— Fort bien.

Tout se passe comme je l'avais prévu. Dès que Gaétan se met à crier, j'enjambe la fenêtre et je me laisse glisser entre les deux trains. Puis, vivement, je me hisse dans le tortillard de banlieue, sans prendre garde aux vociférations de tous les branquignoles auxquels j'écrase les nougats.

Après quoi, j'ôte ma veste et la tiens sous mon bras à la manière des Ritals, je me coiffe d'une casquette américaine en toile verte — dont je me suis muni — ça se fait beaucoup dans les parages, vestiges de l'occupation yankee, évidemment. Ça n'a l'air de rien mais ça suffit à me rendre méconnaissable. Je sors de la gare et examine les environs. J'aperçois la femme de mon ami le consul, embusquée dans une petite rue du côté de la mer, au volant d'une Talbot crème et rouge. Je pense qu'on doit passer aussi inaperçu là-dedans qu'un diplodocus dans un couloir du métro. Enfin, nous verrons bien.

Elle hésite à me reconnaître.

— Ce que vous avez l'air canaille avec cette casquette, sourit-elle en ouvrant la portière.

Je cligne de l'œil.

— Je crois que je les ai eus.

— Alors, mon idée était bonne, monsieur San-Antonio ?

— Magistrale, madame, heu... Pival de... heu... Excusez-moi, je n'ai pas l'habitude des noms à changement de vitesse, m'emporté-je.

Elle appuie sur le démarreur.

— Ne vous tracassez pas, fait-elle d'un air faussement innocent, mon prénom c'est Jeannine.

Ça me sèche un peu. Confidentiellement : j'ai une grosse touche avec cette petite baronne. On a beau être un solide républicain et avoir des aïeux qui ont braillé la *Carmagnole,* ça flatte. Des belles dames qui m'ont fait du gringue, j'en ai rencontré pas mal et j'ai toujours veillé à ne pas les décevoir. Si je ne trimbalais pas des documents d'une terrible importance, et si je n'avais pas le culte de la reconnaissance, je sens que la tête du consul ressemblerait d'ici peu à un trophée de chasse.

CHAPITRE II

DU PLOMB DANS LA VIANDE

Cette bagnole n'a pas été achetée chez un antiquaire. Pour un bolide, c'en est un. Et Jeannine — puisque Jeannine il y a — ferait la pige à Nuvolari. Nous tapons le cent vingt. Les pégreleux lèvent les bras au ciel et cavalent sur les talus en nous voyant foncer. Une fois Napoli passé, nous nous ruons dans un univers enseveli sous une poussière grise et âcre, qui nous entre dans la gorge et nous brûle les poumons. A cette allure-là, il n'y a pas, dans toute l'Italie, un seul truc à quatre roues susceptible de nous rattraper, c'est assez réconfortant. Je n'ai qu'une hâte : remettre les plans à l'ambassadeur et aller me taper un spaghetti d'honneur avec mes copains consuls. Ensuite, je tâcherai de mettre la main sur ce cucudet de code. J'enlève le sable qui me rentre dans les mirettes, parce que, sincèrement, deux yeux c'est pas trop pour reluquer à la fois un des plus beaux paysages et l'une des plus belles filles *in the world*. Je m'en mets plein les cocards. Si vous voyiez cette petite fée au volant, les cheveux au vent, les lèvres serrées, une écharpe jaune autour du cou, les bras nus, la gorge pas trop empaquetée... vous ne penseriez plus à rien, et il faudrait au bout d'une heure de contemplation, qu'on vous réapprenne à lire et à faire des i et des o sur du papier quadrillé, tellement vous seriez commotionnés. Parole !

Jeannine sent que je la regarde. Sans bouger sa tête brune, elle questionne :

— A quoi rêvez-vous ?

Je lui réponds par une historiette véridique.

— J'avais, lui dis-je, un copain danois qui était le plus joyeux luron dont on puisse rêver pour vider des bouteilles et paillarder. Quand on lui parlait de l'amour, il se marrait tellement fort que les watmen arrêtaient leurs tramways parce qu'ils croyaient qu'il y avait alerte. Un jour, je reçois un coup de téléphone de ce coco-là.

« — Je viens, me dit-il, de rencontrer la plus belle femme du monde. Si je ne parviens pas à la tomber, je me balance dans la mer du Nord.

« — Tu ferais mieux de te balancer dans les draps, ivrogne! Tu es encore saoul, ricanai-je en raccrochant.

« Eh bien, deux jours plus tard, on a retrouvé son corps à l'entrée du port...

Je me tais. Jeannine prend un virage qui fait hurler les pneus.

— Hum, toussote-t-elle, c'est une sale aventure qui est arrivée à votre ami. Pourquoi y pensez-vous en ce moment ?

— J'étais en train de comprendre ce qui lui avait passé par la tête.

— Ah, oui, quoi donc ?

— Des tas de trucs. Vous savez, Jeannine, les hommes sont des ballots ; ils se montent le job à toute pompe. Aucun n'échappe à ce piège qu'est la femme, aussi malin qu'il soit, aussi fortiche.

Je la ferme. Si je n'y mets pas un cadenas, d'ici cinq secondes je vais prononcer des paroles si douces que toutes les mouches de la contrée vont venir se poser sur ma bouche.

— Laissez-moi conduire! ordonné-je durement.

Sans sourciller, elle ralentit et stoppe. Je descends de la calèche et la contourne pour venir prendre la place de ma compagne. Au moment où je vais démarrer, celle-ci pose sa main sur la mienne.

— Commissaire, dit-elle, vous êtes un gentleman.

— Because ?

— Parce que... vous savez bien... Vous êtes un homme correct. Je voulais... c'est idiot, j'avais besoin de vous dire ce que je pense de vous. Eh bien, c'est cela.

J'appuie sur le champignon.

Ce que la vie est crétine, vous ne trouvez pas ? C'est bien ma chance à moi : rencontrer une femme qui me pige, que je pige, qui est plus jolie que toutes les miss Univers collées à un bâton, sentir que nos deux palpitants battent sur le même rythme, avoir envie d'empoigner cette petite chose ravissante et de lui susurrer des phrases-bibelots, et n'avoir, en fin de compte, que le droit de la boucler et de soupirer parce que cette pièce unique est marida à un chic type... C'est plutôt moche.

Sérieusement, j'en ai un coup dans l'aile. Ce que j'éprouve ne ressemble pas à du vague à l'âme, c'est bien plus compliqué. Enfin, vous devinez ce que je ne dis pas. Si vous ne comprenez pas, c'est que vous en tenez une drôle de couche.

Pour faire diversion, je me concentre sur mon volant. Nous ne disons plus un mot, si bien que lorsque nous atteignons Rome, il faudrait presque un chalumeau pour me dessouder les lèvres.

— Le train de notre ami arrive à quelle heure ?

— Quatre heures.

Je consulte la pendule du tableau de bord.

— Très bien, dis-je, nous n'avons qu'une demi-heure de retard. Nous retrouverons M. de Pival à l'Ambassade, je me débarrasserai des plans, ensuite nous irons nous taper la cloche potablement. J'ai du pognon à toucher à la Banco di Roma, c'est moi qui régale. Comme je ne sais pas parler l'italomuche, vous composerez le menu, O. K., Jeannine ?

— O. K., commissaire.

Nous grimpons le perron de l'ambassade. Un secrétaire s'avance vers nous.

— Monsieur ?

— Je voudrais avoir une audience avec monsieur l'ambassadeur.

— Son Excellence est occupée pour l'instant, vous avez un rendez-vous ?

Je hausse les épaules.

— Ecoutez, vous m'avez l'air d'un grand garçon, alors tâchez de comprendre : je ne viens pas voir l'ambassadeur pour lui vendre un aspirateur, non plus que pour faire une collecte au bénéfice des filles-mères de Vaison-la-Romaine. Je suis le commissaire San-Antonio en mission spéciale, et si vous ne courez pas informer votre patron de mon arrivée, on vous trouvera d'ici cinq minutes accroché à la suspension par vos culottes.

— Bon, admet l'autre, passablement étourdi, mais il se passe des choses tellement graves que je ne sais pas si Son Excellence...

— Qu'est-ce qu'il y a, la guerre est déclarée ?

— Non...

— Bon, alors courez ou bien je vous fais manger tout le crin de ce fauteuil.

Il s'enfuit épouvanté, tandis que ma compagne éclate de rire.

Lorsqu'il revient, je comprends à sa mine déférente que l'ambassadeur est au courant de ma venue et qu'il m'attend.

— Si vous voulez me suivre, balbutie le petit gars.

Il nous introduit dans une vaste pièce tendue de velours pourpre où, derrière un monumental bureau, se tient un homme chétif et nerveux. C'est un type entre deux âges mais plus près du second que du premier. Il a l'air aussi joyeux qu'une paire de gants noirs et il fume pour user sa nervosité.

— C'est abominable, balbutie-t-il en nous apercevant, sans même nous saluer.

J'avoue que cet accueil nous démonte quelque peu.

Il s'approche de Jeannine et lui prend la main.

— Mon enfant, murmure-t-il, ma pauvre enfant, c'est horrible.

Du coup, je pige, vous avez déjà dû remarquer que je ne suis pas de ces gens auxquels il faut faire des dessins.

— Le consul ! m'exclamé-je. Ils l'ont lessivé ? C'est ça, hein ?

La jeune femme pousse un cri. Elle pâlit et s'assied dans le fauteuil le plus proche.

— Il est arrivé quelque chose à Gaétan ? demande-t-elle à l'ambassadeur. Parlez, monsieur, je vous en supplie.

L'interpellé baisse la tête.

— On m'a prévenu tout à l'heure par téléphone. Un cheminot l'a trouvé sur le ballast. Il avait un poignard dans la poitrine.

— Ah ! les salauds !

Je ne peux pas contenir ma rage. Je poursuis ma litanie.

— Les carnes ! Les ordures !... Excusez-moi, dis-je tout à coup au diplomate : commissaire San-Antonio.

Il me serre nerveusement la main.

— Je sais, les Affaires Etrangères m'ont prévenu.

Nous nous empressons autour de Jeannine. C'est une rude femme. En pareil cas, les mômes font un cirque du tonnerre d'Allah : elles sanglotent, elles s'évanouissent, hurlent et déchirent leur mouchoir avec les dents... mais celle-ci est un vrai morceau de femme. Elle ne bronche pas, silencieusement, deux larmes coulent vers son menton. J'en ai la gorge serrée.

L'ambassadeur est tellement ému qu'il renifle et appelle Jeannine mademoiselle.

— Est-on sur une piste ? questionne soudain Jeannine, une flamme mauvaise dans le regard.

— Pas encore, répond-il. Il faut que la machine policière se mette en mouvement.

— Ouais, dis-je, et pendant ce temps les crapules se font la paire. Mais il y a un détail, c'est que je les connais et ça va saigner, sacrebleu !

— Vous les connaissez ! sursaute mon interlocuteur.

Le plus brièvement possible, je le mets au fait de mes aventures ; je lui dis que Bruno est dans le coup.

— Il faut agir, conclus-je, Excellence, voulez-vous téléphoner au chef de la surveillance du territoire et lui demander de rappliquer ici avec son indicateur le signore Sorrenti?

L'ambassadeur dit qu'il va le faire, mais qu'auparavant il faut s'occuper de Jeannine. Il nous entraîne dans son appartement.

— Mon épouse est sortie, dit-il, c'est une guigne, la présence d'une femme serait précieuse à mademoiselle Pival de Roubille.

Il se goure encore mais je n'ose le lui faire remarquer.

— Excusez-moi un instant, murmure-t-il, je vais faire le nécessaire.

Je m'assieds sur un divan aux côtés de Jeannine, je lui prends les mains et je baisse la tête pour ne plus voir couler cette paire de larmes qui me ravage le palpitant.

— C'est ma faute, tout ça, dis-je sourdement. Si je n'étais pas allé frapper à votre porte, cette nuit, rien ne serait arrivé.

Elle secoue la tête en manière de protestation.

— Mon frère a toujours été un impulsif, un risque-tout, malgré ses manières graves.

— Je regrette tellement, si vous saviez.

— Ce n'est pas votre faute, mon pauvre ami, vous avez fait votre métier, c'est tout.

Comme vous êtes tous un tas de pieds plats, vous ne devez pas rater les films de Laurel et Hardy. Il y a un gag dont ils se servent fréquemment et que vous avez certainement remarqué. Lorsque le type qui veut toujours leur flanquer une correction arrive par un côté qu'ils ne surveillent pas, ils le saluent distraitement et puis, brusquement, l'un des deux réalise et il a un sursaut d'une grosse portée comique. Vous vous souvenez? Eh bien, c'est quelque chose d'analogue qui se produit pour soi. Soudain je bondis.

— Vous avez dit : mon frère!

Jeannine laisse percer de la surprise à travers sa douleur.

— Pourquoi cet étonnement? Vous ne saviez pas que Gaétan était mon frère?

— Votre frère ?

Je suis plus abruti que le gars qui en se réveillant se rappelle qu'il était rond la veille et qu'il a échangé, pour épater la galerie, sa *Viva grand sport* contre un chat siamois.

— Mais... mais... bégayé-je, je croyais... il m'a semblé que vous étiez sa femme.

— Pas du tout.

— Ça alors...

Je me remémore les présentations du matin et je me rappelle qu'en effet, le consul n'a pas précisé, en me nommant Jeannine, qu'il s'agissait de sa sœur si bien que la pensée qu'il puisse s'agir de quelqu'un d'autre que de sa femme ne m'a pas effleuré.

Nous en sommes là lorsque l'ambassadeur revient.

— Ils seront ici dans un quart d'heure, prévient-il, en les attendant, je vais vous offrir un alcool, ça vous remontera, ma chère enfant, ajoute-t-il pour Jeannine.

Nous nous laissons faire une douce violence et je me hâte de plonger mon grand pif dans le verre que vient de me présenter un larbin. C'est du cognac, du baveau.

Il n'y a pas d'erreur, avec dix centilitres de cette drogue dans le buffet, on se sent quelqu'un.

Sorrenti allonge ses longues jambes sur le tapis. Il n'est pas du tout impressionné de se trouver chez un ambassadeur. On dirait que les réceptions officielles, c'est son sport favori. Il examine ses chaussures de daim à triple semelle avec une très grande satisfaction, par instants, il coule dans ma direction son regard sombre, prompt et ironique.

Le chef de la police secrète, par contre, semble solennel, il a des mouvements harmonieux pour m'écouter parler. Quand j'ai terminé pour la énième fois la relation de mes aventures, je me tourne vers Sorrenti.

— A vous le crachoir, mon bon ami.

Il ne se fait pas prier.

— L'autre après-midi, signore, je m'apprêtais à sortir de chez moi lorsqu'un bambino est arrivé, porteur du mot que vous lui aviez remis. Obéissant à vos instructions, je me suis hâté d'aller vous rejoindre au café *Florida,* suivi par le gamin qui voulait récupérer, m'expliqua-t-il, une moitié du billet que vous déteniez.

— Je l'ai toujours, fais-je en souriant.

— J'ai été fort surpris de ne trouver personne.

— Personne !

— Personne, signore, l'établissement était vide comme la poche d'un pauvre homme.

— Vous n'avez pas trouvé le cadavre ?

— Non, signore, les bandits ont dû l'emmener en voiture en même temps que vous.

— Dans quelle intention, croyez-vous ?

— Peut-être se sont-ils dit qu'en faisant disparaître le corps, la police serait désorientée et même qu'elle ne serait pas prévenue...

— En plein jour, c'est un peu culotté.

— Pas tellement, car l'arrière du café donne sur une impasse déserte.

— *All right.*

— En somme, dit le comte Sforza, vous avez obtenu satisfaction, puisque les documents sont retrouvés.

— Pas complètement.

Je leur parle de l'histoire du code.

— A mon avis, déclaré-je à mon auditoire, c'est lui que la belle Else venait chercher dans le tiroir-caisse, et je suis presque persuadé que c'est à cause de lui que le tôlier a été descendu.

— Vous croyez ? questionne l'ambassadeur.

— Il me semble que c'est une explication plausible. Non ?

— Ma foi...

— Ce que j'aimerais connaître, c'est le rapport existant entre le patron assassiné et la bande, et surtout comment un simple tenancier de bistrot pouvait détenir une partie des documents.

Le comte Sforza caresse sa barbiche amoureusement. L'ambassadeur bouffe avec appétit les petites peaux mortes qu'il a autour des ongles.

— Est-il indiscret, murmure-t-il, de vous demander si vous avez un programme ?

— Un programme, monsieur l'ambassadeur ! Mais j'en ai deux : le premier, essayer de retrouver cette saloperie de code, je suis payé pour cela. Le second, c'est de mettre la main sur l'enfant de vipère qui a poignardé le consul de Naples, et, aussi vrai que Paris se trouve dans le département de la Seine, je lui ferai payer son meurtre. Je vous donne ma parole que lorsque je remettrai ce rascal à la police, il sera tellement en compote que les flics le rentreront dans sa cellule avec une pelle et un seau.

— L'enquête, elle suivra son cours normal, prévient Sforza, cependanté, si indépendamenté del recherches effectuées par la police officielle vous avez besoin d'aide, dités-le.

Je réfléchis un petit peu, histoire d'aérer ma vaste intelligence.

— Je ne vais pas demander une éclipse de lune, dis-je, mais un renseignement. Il faut que dans les deux heures qui suivent, on ait retrouvé le yacht d'Else. Je ne sais ni le nom du bateau, ni sa couleur, ni sa forme, l'ayant fréquenté dans des conditions très particulières. Mais ça ne doit pas être difficile de repérer un bateau de plaisance qui, la nuit dernière, se trouvait à quelques milles de Naples, hein ?

Le chef de la police se lève.

— Je vais m'occupate dé cetté question immédiatementé. Jé téléphonerai les résultats à Son Excellence, dès que jé les aurai.

On se serre les pognes à qui mieux mieux.

— Signore Sorrenti, dis-je au grand brun, pouvez-vous m'accorder cette soirée ?

— J'en serais ravi, commissaire. Qu'attendez-vous de moi ?

— Que vous me pilotiez dans tous les endroits louches de la ville. Logiquement, la bande a dû revenir à Rome, puisque c'est son centre ; eh bien, je suis décidé à perquisitionner jusqu'au Vatican, s'il le faut, pour retrouver leur trace.

— A votre service, vous êtes toujours au même hôtel ?

— Oui, ils doivent se demander ce que je suis devenu, j'espère qu'ils n'auront pas vendu mes bagages.

— Huit heures, ça vous convient ?

— Au poil.

Une fois seuls, l'Excellence et moi nous retournons auprès de Jeannine. Cette fille est de plus en plus formidable à mon sens, maintenant, ses yeux sont secs. Son immense peine ne se traduit plus que par la pâleur excessive de son visage. Ses yeux luisent drôlement.

— Alors ? fait-elle.

Je comprends qu'elle met toute son incertitude, tout son chagrin, dans ce mot.

— En attendant que l'on amène ici le... la... enfin votre malheureux frère, vous allez vous installer à l'ambassade, ma chère enfant. Ma femme sera là dans un instant et prendra soin de vous.

— Oui, approuvé-je, et moi, Jeannine, je fonce dans le tas, je ne souhaite pas à Else et à sa clique de me tomber dans les pattes parce que les mecs de l'Inquisition et les chefs de camps nazis passeraient pour les plus douces des petites sœurs des pauvres à côté de moi en ce moment.

— Je vous accompagne, décide-t-elle.

Le diplomate et moi, nous nous récrions bien fort, mais elle insiste.

— Si je reste assise dans un fauteuil, à remuer des idées noires, cela n'avancera à rien, n'est-ce pas, tandis que si je suis avec vous, commissaire, avec la certitude de pourchasser les brutes qui ont tué Gaétan, je serai fortifiée par l'action. Vous me comprenez ?

Nous objectons que ce n'est pas prudent et que

l'exemple de son frère devrait lui suffire. Mais nos adjurations sont sans résultat. Elle est butée, et c'est une femme qui sait ce qu'elle veut. Il ne me faut pas cent dix ans pour comprendre que sa décision est arrêtée et qu'on aurait plus de chances de faire faire les pieds au mur à une tortue que de lui faire abandonner son projet.

— Soyez certain, ajoute-t-elle, que je ne vous mettrai pas de bâtons dans les roues. J'ai au contraire l'impression que je peux vous être utile ; ils ne me connaissent pas, donc je suis moins repérable que vous qui avez eu maille à partir avec eux.

Je proteste encore pour la forme, puis je cède. Et nous prenons congé de l'ambassadeur, après que je lui aie remis les documents.

CHAPITRE-III

UN BEAU GOSSE QUI N'EST PAS CONTENT

— Pour commencer, avertis-je, nous allons briffer un brin. C'est une des conditions essentielles de réussite, lorsqu'on s'en va-t-en guerre. Que ça vous chante ou non, vous allez manger. Puisque vous êtes assez courageuse pour laisser votre chagrin à la consigne tant que les assassins ne seront pas arrêtés, vous allez m'obéir.

Elle se force à sourire.

— Bien, chef.

Je la regarde doucement.

— En général, je travaille seul, mais ça ne me déplaît pas tellement de faire une exception pour un auxiliaire de ce gabarit.

Je conduis la Talbot dans les rues de Rome. Nous passons sur un pont en dos-d'âne, sous lequel coule un ruisseau jaunâtre.

— C'est le Tibre, cette canalisation ? questionné-je.

Jeannine me fait signe que oui. Je ne sais pas bien que lui raconter ; je n'ai pas l'habitude de manipuler des demoiselles de la bonne société dont le frangin vient de se faire buter. Je vais pour la remonter, employer le grand moyen, celui qui réussit à tout le monde : aux ramasseurs de mégots comme aux nonces apostoliques, et aux veufs inconsolables comme aux amoureux-qui-sont-seuls-au-monde, je veux parler du glass. C'est pour cela que je me fais autoritaire quand il est question d'aller se restaurer. Je me promets de commander une bouteille de vin de France très sérieuse. Il faut absolument que Jeannine fasse fonctionner son pipe-line.

Nous traversons une place entourée d'arcades qui s'appelle la Piazza Colonnes. Un peu plus loin, j'aperçois un restaurant à l'angle d'une rue paisible. Cet établissement possède une terrasse en forme de tonnelle, très accueillante. Il y a de la verdure, des garçons à tête de jeunes premiers et des nappes jaune clair.

J'arrête l'auto.

— Descendez, dis-je.

Elle obéit mornement.

Je la pousse sur la terrasse et désigne une table d'angle au garçon qui s'empresse. Ces Italiens sont des dégourdis. Pas besoin de leur faire des causeries avec projection, ils pigent tout de suite.

Jeannine s'assied, toujours avec son air lointain. Sans lui demander son avis, contrairement aux lois de la bienséance, je compose un menu confortable : soufflé au fromage, perdrix aux choux, pâtisserie, bref, la moindre des choses.

— Et maintenant, dis-je au garçon, si tu ne parles pas français, galope chercher un interprète pour qu'on règle la question des vins.

— Si, signore, je parle française.

— C'est toi qui le dis, mon trésor. Enfin, ça ira, passe-moi le cahier du sommelier.

Je le feuillette.

— Un Chambolle-Musigny ne serait pas mal, fais-je remarquer.

Nous attaquons. A vrai dire, Jeannine grignote. A tout moment, elle pose sa fourchette et crispe les lèvres. Mais malgré ses efforts, je vois ses yeux magnifiques s'emplir de larmes.

— Vous étiez très unis, dis-je doucement, comprenant qu'il faut parler du disparu.

— Terriblement. Nous ne nous sommes jamais quittés. Gaétan était misogyne et ne voulait pas entendre parler de mariage, c'était pour moi à la fois un frère, un père et un ami...

Je la laisse pleurer parce que je sais que ça soulage ; lorsqu'une femme pleure, on peut commencer à se donner un coup de peigne parce que c'est signe que dans un instant elle sera en plein boum.

En effet, ma compagne essuie ses larmes et j'en profite pour lui emplir son verre.

— Allons, dis-je, avec un peu de rudesse dans la voix (juste ce qu'il faut), buvez un bon coup et préparez-vous à le venger. Ce sera un grand réconfort.

Galvanisée, elle torche coup sur coup trois glass. Ça y est, mon petit truc à réussi.

Nous descendons à l'hôtel *Imperator* où j'ai la joie de retrouver mes bagages. Je m'empresse de passer un coup de bigophone à l'ambassadeur.

— Allô, Excellence ? Ici San-Antonio, avez-vous reçu une communication au sujet du bateau ?

— A l'instant, répond-il, le chef de la police vient de me prévenir qu'un bâtiment correspondant au vôtre a été repéré au large de Capri. La police côtière l'a arraisonné et deux officiers sont montés à bord, ils ont été pour leurs frais, le yacht appartient à un Brésilien, un certain Curno Pantoz, ce dernier a proposé aux officiers de perquisitionner, aucune femme ne se trouvait à bord et les papiers étaient en règle. Ils se sont excusés, qu'en dites-vous, commissaire ! Croyez-vous qu'il s'agirait de notre bâtiment ?

— M'est avis que oui, monsieur l'ambassadeur, mais je me doutais que ces carnes auraient pris leurs précautions ; ils sont fortiches.

Je salue et raccroche.

Me voilà en plein pastis ; car je ne peux plus compter repêcher mes zèbres grâce au bateau. De moins, ce renseignement m'apporte-t-il la certitude qu'Else et ses sangliers sont en Italie, à Naples, ou à Rome, et je pense pouvoir éliminer Naples, car cette fille est attirée par les documents comme une panthère par une charogne.

Pourvu que l'ambassadeur ne se les laisse pas crever sous son blair.

J'en ai une sueur froide, rien que d'y songer. Je reprends l'appareil.

— Excusez-moi, Excellence, c'est encore San-Antonio. J'ai oublié de vous recommander de bien camoufler les documents, un coup de main est toujours à craindre.

— N'ayez pas d'inquiétude, à l'heure qu'il est, ils sont en France. Je les ai fait rentrer immédiatement par avion spécial.

Je respire. Voyez-vous, j'aime avoir l'esprit libre de tout souci pour travailler.

Je redis bonsoir.

Jeannine est assise dans un fauteuil du hall; elle me regarde avec intérêt. Dès que j'en aurai fini avec cette histoire, il faudra que je m'occupe de lui changer les idées. C'est pour moi une obligation morale, et je ne la trouve pas pénible du tout.

Je jette un regard à la pendule électrique, elle indique huit heures dix. J'espère que le signore Sorrenti ne va pas tarder à s'amener avec ses chaussettes à rayures et sa cravate bleu azur. J'en ai marre de piétiner sous le regard compassé des ouistitis de la réception. Je vais m'asseoir sur un accoudoir du fauteuil voisin.

— Dites-moi, Jeannine, je suppose que votre frère sera inhumé en France?

— Bien entendu.

— Après les obsèques, vous pensez revenir dans ce bled?

Elle a un geste d'une tristesse infinie.

— Jamais! Tellement de souvenirs sont liés à ce ciel si pur, à cette foule nonchalante... Pauvre Gaétan...

Un type pousse la porte tournante et se dirige vers la réception. Il parlemente avec un des préposés, ce dernier regarde le hall comme pour y chercher un visage. Son regard se pose sur moi. C'est à moi qu'en a l'arrivant. Je fronce les sourcils, et j'attends. Comme prévu, il vient à moi. Il est petit, sans âge, chauve et s'il ne boit pas trois litres de chianti par jour, la rougeur de son pif provient d'un direct du droit très récent.

— Signore San-Antonio?

— Soi-même.

— Je viens de la part dou signore Sorrenti. Il a eu à la dernière minoute oun empêchement. Ma il vous rejoindra ici ceste nouit. Il vous conseille d'aller auparavant boire ou verre de cognac à *Il Capitello*, via Cavour. Il pense qué vous y possibilité de rencontrer dou monde qu'il vous ferait joyeux de voir. Capito?

— *Va bene.*

Mon gnome a l'air satisfait de lui, de moi, et, par la même occasion de l'humanité entière, son percepteur y compris.

Il me rend un paxon bleu qu'il tenait en réserve dans une poche.

— Il signore Sorrenti pense qué vous auriez possibilité d'avoir besoin dé ceci.

Il attend une seconde et me fait un profond salut.

— *Buona sera, signore.*

Comme je ne suis pas contrariant, je lui réponds :

— *Buona sera, signore.*

Mais cet endoffé ne bronche pas.

Discrètement, Jeannine me fait signe de l'arroser un peu. Je n'y pensais pas. Je tends vingt lires au bonhomme et il les empoche d'un air dégoûté.

Je déplie le paquet qui me paraît bien lourd pour son volume et je me trouve nez à nez avec un 9 mm. accompagné de deux chargeurs.

Ce Sorrenti est un type de ressource.

— Vingt lires, c'est peu, pour témoigner sa satisfaction à un homme qui vous apporte un arsenal complet, objecte Jeannine.

— Il a dû me prendre pour un radin, hé!

Elle hausse les épaules.

— Alors ?

Toujours son éternel alors qu'elle vous lâche dans le visage d'un air têtu.

— Ça vous dirait d'aller prendre un verre à *Il Capitello ?*

— Je comprends.

— Je suppose que c'est une boîte de nuit ?

— Il m'a, en effet, semblé apercevoir cette enseigne au bas de la via Cavour.

— On y va ?

— Allons-y.

— C'est loin d'ici ?

— A trois ou quatre cents mètres.

— Alors, prenons la voiture ; mais nous la planquerons dans les environs ; avec ce paquebot, nous manquons de discrétion.

Il Capitello est une boîte sélect, vous n'ignorez pas ces endroits-là ont pour règle de créer un décor, une ambiance exotiques ou du moins pittoresques. *Il Capitello,* Jeannine me l'explique, veut dire *le chapiteau* et les directeurs de la tôle se sont inspirés du cirque. Au milieu de la salle, la piste de danse ressemble à celle d'un cirque, tout autour les tables sont étagées en gradins. Les musiciens sont juchés sur une estrade ; ils sont vêtus d'uniformes chamarrés, couverts de brandebourgs et d'épaulettes dorés, mais le plus rigolo, c'est la valetaille, les garçons et les maîtres d'hôtel sont sapés en clown, en dompteur, en M. Loyal, en athlète. Il y a même un petit brun à moustaches de jeune premier qui sert la clientèle vêtu d'une peau de panthère. J'ai vu pas mal de trous de ce genre, mais je reconnais que celui-ci vaut le coup d'œil.

Les clients sont des mecs pourris de pognon, ce sont ceux auxquels les neuf dixièmes du peuple italien ouvrent les portières en rêvant de leur racler la plante des pieds avec des tessons de bouteilles.

— Si je pensais que le jour de la mort de mon frère j'irais dans un cabaret dansant... soupire Jeannine.

— Rentrez à l'hôtel, il en est temps encore, fais-je agacé car je me concentre sur le travail et chez moi, le boulot c'est tellement dominant qu'on pourrait, pendant que je suis en chasse, me faucher mon slip sans que je m'en aperçoive.

— Ne me rudoyez pas, murmure-t-elle, commissaire, je m'excuse, mais... vous comprenez?

— C'est moi qui suis une grosse brute, dis-je, en passant mon bras sous le sien. En ce moment, j'ai l'âme d'un léopard.

— Tant mieux.

Nous nous laissons guider par un gars vêtu en pierrot, à une table située en dessous des musicos. Ça tombe bien, c'est pour nous la plus chouette gâche car de cet endroit, on n'est pas en vue et on peut reluquer tout ce qui se passe dans le cirque.

Je commande du champagne. Faut ce qu'il faut. Je bois à la mémoire du pauvre consul; d'autant plus volontiers que c'était un brave garçon et que le champagne est fameux. Jeannine trempe ses lèvres dans sa flûte; elle recommence toutes les fois que je le lui ordonne. Ce qui m'indique que, le cas échéant, elle sait se montrer disciplinée.

Nous sommes là depuis un moment lorsque mon système circulatoire se paralyse; voici que Bruno fait son entrée à *Il Capitello*. Il est accompagné d'un couple de copains : une belle rousse assez vulgaire et un bonhomme qui a eu des pékinois et des ours bruns parmi ses aïeux. Décidément, les tuyaux de Sorrenti ne sont pas percés. Si un jour je deviens dictateur, sûr et certain que je l'embaucherai comme chef de ma Gestapo.

Je me dissimule de mon mieux et je réfléchis. Ma matière grise se met en mouvement. Tout à coup je torche ma flûte et je prends dans la mienne la main que Jeannine laisse traîner sur la nappe.

— Dites-moi franchement, petite, avez-vous les nerfs solides ?

— Mon Dieu, jusqu'ici, ça n'a pas trop mal marché.

— Vous sentez-vous capable de vous maîtriser ?

— Oui.

— Alors, penchez-vous un peu, apercevez-vous, à la table qui se trouve sous le projecteur, ce bel éphèbe brun aux côtés d'une femme rousse ?

— Je le vois très bien.

— C'est l'assassin de Gaétan.

Elle porte les mains à sa bouche et devient livide. Je lui colle vite son verre dans les doigts et lui conseille de le vider.

Ça se passe très bien.

— Voilà, exposé-je, il y a plusieurs façons de jouer cette partie. Le plus simple serait que j'aille carrément à la table de ces fumelards et que je leur foute mon feu sous le blair en leur conseillant d'attraper les lustres ; la seconde consisterait à prévenir la police ; mais à ces deux, je préfère ma technique personnelle. Si je faisais arrêter Bruno, je vous parie les faux seins de Marlène Dietrich contre une botte de radis qu'il s'en tirerait because Else a dû lui préparer un alibi en béton armé.

— Quelle est donc votre méthode ?

Au lieu de lui répondre, j'appelle un fakir qui, à son air important et à la distinction qu'il met dans l'art délicat de ne rien faire, doit être le gérant de la boîte.

Il s'approche, digne comme un croque-mort lorsqu'il n'est pas brin-de-zinc.

— Vous parlez français ?

— Si, *parlo un poco, ma non molto bene.*

— Qu'est-ce qu'il bave ce grand veau ? questionné-je.

Jeannine sourit.

— Il vous dit qu'il ne parle pas très bien. Comme il vous le dit en italien, je suis certaine qu'il ne connaît pas un traître mot de français.

— Alors, servez-nous d'interprète. Demandez-lui s'il n'a pas de salon particulier.

Elle s'exécute. Le fakir-gérant écoute doctement et incline la tête affirmativement.

— Bon, dis-je, demandez-lui s'il veut en mettre un à ma disposition. Dites-lui qu'il ne s'agit pas d'une partie de jambes en l'air mais d'une discussion d'affaires. Je paierai ce qu'il faut à condition qu'on nous fiche la paix.

Elle répète mes paroles en italomuche.

Le type est toujours d'accord, pourvu qu'on lui lâche du flouze, il se moque bien qu'on utilise son local pour fabriquer de la dentelle, jouer au bilboquet ou organiser une conférence de Gary Davis.

Je paie d'avance et dis au bonhomme de m'attendre un instant.

— Maintenant, ma chère amie, c'est à vous de grimper sur le plateau. La réussite de mon plan repose sur vous. Vous allez vous transformer en vamp, et, en ondulant des hanches, vous approcher de lui. Vous vous assoirez sans façon à sa table et lui demanderez s'il n'a pas dix mille lires à mettre dans le sac à main d'une pépée à même de lui refiler des tuyaux sur un flic français et sur l'enveloppe qu'il trimbale dans sa blague à tabac. Surtout, ayez l'air cupide, ça le mettra en confiance. Lorsqu'il commencera à marcher, dites-lui que vous seriez mieux dans un des petits salons pour discutailler, car vous avez la pétoche. A ce moment, vous me l'amenez. Compris ?

Je la regarde, elle est frémissante.

— Compris.

J'allume une cigarette et la regarde s'éloigner. Quelle ligne, quelles jambes ! Je me tourne enfin vers le gérant.

— *Avanti,* dis-je.

Il me conduit dans un vestibule qui fait le tour de l'établissement. Une kyrielle de portes s'ouvrent dans ce couloir. Il en pousse une.

— *Favorisca di qua.*

J'entre et inspecte les lieux. C'est un petit coin peinard qui ressemble à tous les petits salons du monde. Enfin les petits salons de ces sortes de boîtes, c'est-à-dire des pièces discrètes, avec des divans moelleux comme du Montbazillac et un cabinet de toilette attenant.

— Ça colle, mon gros, tu peux évacuer tes os.

Le faux fakir s'incline bien bas et va voir dans la salle si j'y suis. Je repousse la porte et tire un fauteuil juste derrière de façon qu'en pénétrant dans le salon, on ne puisse me voir tout de suite.

Je jette ma cigarette et j'en allume une autre.

Pourvu que Jeannine soit assez persuasive !

Je sors le rigolo que m'a envoyé Sorrenti. C'est une arme d'une fabrication qui m'est inconnue, peut-être italienne ? En tout cas, elle n'a pas l'air mauvaise. J'étudie son fonctionnement, je glisse un chargeur dans la crosse et lève le cran de sûreté. A ce moment, j'entends un bruit de pas dans le couloir. Je suis prêt. La porte s'ouvre. Jeannine pénètre dans le salon suivie de Bruno. Ce dernier, une fois entré, repousse la porte sans se retourner, ce qui fait qu'il ne m'aperçoit pas encore.

La surprise n'en est que meilleure.

— Coucou, beau brun ! dis-je.

Il se retourne d'une pièce et porte la main à sa poche.

— Pas de ça, ordonné-je, lève bien haut tes pattes pour que je puisse admirer tes manchettes amidonnées. Jeannine, voulez-vous enlever le feu de ce dandy, il déforme sa poche droite.

Elle m'obéit.

— Garce, grogne-t-il.

Je lui file un taquet qui lui fait enfler la pommette illico.

— Déguste ça pour t'apprendre la politesse.

Il marmonne.

— Flic, sale flic, ça se revaudra.

— Ça m'étonnerait parce que, écoute, trésor, lorsque j'en aurai fini avec ta petite personne, ta mère elle-même ne voudra pas se servir de toi comme paillasson. Va t'asseoir sur cette chaise là-bas et tâche de ne pas faire le mariole parce que je me sens nerveux ce soir.

« Maintenant, ouvre grandes tes manches à air. Sur ton bateau du diable, tandis que j'étais fixé au mât, tu m'as posé deux questions, c'étaient les suivantes : qui nous a rencardés sur la fuite de votre gang en Italie et qu'est devenu Tacaba. Pour la première, je dois t'avouer que mes chefs, malgré qu'ils m'aient à la bonne, ne me disent pas tout, j'ai reçu simplement l'indication, à moi de l'utiliser. Quant à la seconde, je vais te répondre : Tacaba est, pour l'heure, aussi mort que du cervelas truffé, et je le sais parce que c'est moi qui lui ai fait avaler son extrait de naissance. Si tu en doutes, souviens-toi des deux mammouths que j'ai allongés l'autre nuit dans la cabine d'Else. Réfléchis et comprends enfin que je ne suis pas un plaisantin. Tu as peu de chances de te vanter un jour d'être sorti vivant d'entre mes mains, mais si tu es optimiste, réponds à mes questions.

Il n'en mène pas large.

— Que voulez-vous savoir ?

— Enfin, tu deviens raisonnable en grandissant. J'aimerais que tu me parles de la question du code. Je sais que vous ne l'avez pas, mais j'aimerais savoir qui vous l'a barboté.

Il garde le silence.

Je ne me fâche pas.

— Fais bien attention, préviens-je, j'ai connu un type auquel je posais certaines questions, comme à toi. Il la bouclait lui aussi et quand il a voulu ouvrir sa grande gueule, il n'a pas pu parce qu'il avait un morceau de ferraille dans la carcasse qui lui faisait mal lorsqu'il riait. Et ce type, tu l'as peut-être deviné, s'appelait Tacaba. Il s'est tortillé pendant un bout de temps et il me promettait de m'instituer son légataire universel à condition que je lui en mette une seconde à l'endroit où son coiffeur s'arrêtait ordinairement de lui tailler les crins pour lui demander s'il les aimait bien dégagés. Tu vois ? C'est d'une simplicité extraordinaire. Si tu ne réponds pas, d'ici dix secondes, tu racleras le tapis avec tes ongles, parce que c'est la coutume chez ceux qui en prennent une ou deux bien chaudes dans le ventre.

— Si vous permettez, fait Jeannine, ce sera moi qui tirerai.

— J'oubliais de te signaler que la gracieuse personne qui te veut du bien est la sœur de feu Gaétan Pival de Roubille, consul de France à Naples.

« Tu es cucul comme un jeune chien, mon pauvre Bruno, et imprudent ! On ne liquide pas un consul de France comme un nervi, surtout à un moment où les relations amicales se renouent à toute pompe avec la bonne vieille frangine latine. Le gouvernement italien doit en discuter ferme, en séance de nuit. Il fait remuer sa police et si un nommé San-Antonio leur servait l'assassin, même dans un sac à charbon, il lui cloquerait toutes les médailles passées et présentes du pays. Quant au meurtrier, s'il pouvait le fusiller cent fois, il le ferait. »

— Ce n'est pas moi, gémit le beau gosse.

— Mon œil ! Je t'ai vu lorsque tu nous suivais à la gare.

— Mais je n'ai pas pris le train.

Je hausse les épaules.

— Trouve autre chose, mon chou.

— Je vous le jure... Nous avions voulu nous assurer que vous preniez bien le train. Tenter un coup nous paraissait trop risqué. Else m'attendait à l'aéroport, nous avons pris l'avion. C'est à la sortie de la gare de Rome que nous pensions vous kidnapper, le consul et vous. Quoi qu'il y paraisse, c'était plus facile parce que, ici, nous avions du monde capable sous la main.

Je suis ébranlé.

— Et ainsi, tu prétends avoir pris l'avion ?

— Je l'affirme ; vous aurez la preuve de ce que j'avance aux aéroports de Naples et de Rome.

Je me tais en évitant le regard déçu de Jeannine. Je me dis que les affirmations du beau gosse sont peut-être fausses — jusqu'à preuve du contraire — mais mon vieux flair de clebs me dit qu'elles sont vraies. Dans ce cas, alors, qui a commis le meurtre ? Un criminel travaillant pour son propre compte ? C'est improbable... Alors ?

Alors, je suis bien forcé de songer sérieusement au gars

qui possède le code. Pour que les plans aient une valeur, il faut le code, mais le code sans les plans, c'est une brosse à dent sans poils. Donc, celui qui a été assez dégourdi pour s'approprier une partie des documents doit être assez gonflé pour buter un type afin d'avoir l'autre partie. Conclusion : j'ai de plus en plus envie de faire connaissance avec le détenteur du code.

— Passons sur le meurtre, provisoirement, nous réglerons cette question plus tard. Reprenons cet entretien à son début. Qui vous a fauché le code ?

— On ne nous l'a pas fauché.

— Quoi !

— Non, je vais vous expliquer...

Jeannine pousse un cri et me montre la porte. Je me retourne, le copain de Bruno et la fille rousse font leur entrée, un pétard à la main. Je n'ai pas le temps de me voir venir ; profitant de cette diversion, Bruno a bondi et m'a filé un coup de poing grand format sur le bras. Je lâche mon feu et je n'ai pas le temps de me baisser car les arrivants me rentrent le canon de leur Lüger dans les côtes.

Bruno qui pense à tout récupère le feu que Jeannine lui a pris.

— Eh bien, gros malin, dit-il d'un ton enjoué, que penses-tu de ce second acte ?

— Pas mal, conviens-je, attendons le troisième.

— On t'a jamais appris à l'école qu'il existait des pièces en deux actes ?

— Si, mais toutes celles pour lesquelles j'ai un engagement en ont trois, figure-toi ; et il se trouve que c'est dans le troisième acte que je suis le plus formidable.

Le copain de la môme rousse s'impatiente.

— Assez causé, dit-il avec un accent hongrois si épais qu'on pourrait le couper au sécateur, qu'est-ce qu'on fait de ces deux ?

— On les emmène dans le monde, décide Bruno.

Ils nous poussent dans le couloir et nous entraînent vers

la porte de service ; celle-ci donne dans une ruelle où il y a
une voiture américaine.

— Allez, grimpez, ordonne le gentleman dont l'arrière-
grand-père était pékinois.

— Mazette ! m'exclamé-je, vous ne les achetez pas aux
puces, vos bagnoles.

— Ferme ça, gronde Bruno, maniez-vous, toi et ta
grognasse et ne faites pas de manières, étant donné que
c'est nous qui avons l'artillerie maintenant.

Je m'installe à l'arrière à côté de Jeannine. Je la regarde
pour voir comme elle réagit. Elle ne prend pas ça
tellement mal. En tout cas, comme diversion à son
chagrin, c'est plutôt corsé, hein ?

CHAPITRE IV

MON COPAIN : LE NORD

Quelquefois, j'entends des types qui avouent avoir perdu le nord. C'est qu'ils n'ont pas d'ordre. Le nord et moi, nous sommes deux bons copains et nous ne nous sommes jamais séparés.

C'est à ça que je pense dans la voiture ; à ça et puis à autre chose dont je vous parlerai plus loin.

Comme je ne connais pas Rome, je ne prête pas attention au chemin que nous empruntons ; j'ai la main de Jeannine dans la mienne et ça suffit à mon bonheur. Si vous avez déjà touché une peau plus douce que la sienne, venez me le dire et je vous paierai des bugnes. A toucher cette main fine, je deviens tout bizarre, pour un peu que j'insiste, je parviendrais à écrire des vers sans plus me forcer que Victor Hugo.

Et si San-Antonio composait un poème, qu'est-ce que vous en diriez, tas de navetons ? Ça vous couperait le sifflet parce que vous croyez que je suis un massacreur, un costaud, une brute, un démolisseur de gueules. Vous ne pouvez pas croire qu'il y un cœur derrière mon porte-feuille et que ce cœur là cogne dur quand il s'y met. Vous avez des préjugés bien douillets et puis des habitudes. Et vous vous croyez malins alors que vous êtes tous des pantouflards, des mangeurs de pilules, des cocus et des têtes de lard.

Bon, j'arrête les vitupérations car nous sommes arrivés.

L'auto vient de stopper devant une belle villa bâtie dans un parc. Et ça sent bon dans ce quartier, sapristi !

Nos cerbères nous poussent dans la crèche. Nous voilà dans une pièce agréablement meublée en poirier clair. Un ventilateur fixé au plafond ronronne comme un chat heureux en faisant frissonner des guirlandes de soie rose.

En entrant, je vois la belle Else assise dans un fauteuil moelleux. Elle a les jambes croisées, ce qui relève sa jupe au-dessus des genoux, le spectacle vaut le dérangement.

— Tiens, tiens, fait-elle en nous apercevant, où as-tu déniché ça, Bruno ?

Ce pommadé rigole tendrement.

— J'ai vu cette paire de couillons dans une vitrine, et j'ai pensé qu'elle te ferait plaisir.

— Tu es trop gentil, mon grand.

Je rigole et je déclare :

— Ton grand, Else, sans son copain qui a une bille à galoper dans les faux rochers du zoo de Vincennes, il serait tout juste bon à déboucher les éviers et les waters. Comme lavette, on ne peut rêver mieux, au moment où je me suis laissé fabriquer par madame et monsieur, il allait nous raconter sa vie et la tienne par-dessus le blaud. Je ne peux pas croire qu'avec une gambette et une frimousse comme tu en as, tu ne trouves rien d'autre à mettre sur ton oreiller que ce pot de brillantine. C'est peut-être que tu crains le froid aux pieds. On ne t'a jamais dit qu'il existait des bouillottes ?

J'ai juste le temps d'esquiver un crochet du droit que me balance Bruno fou de rage. Il se précipite pour remettre ça, mais moi, plus prompt, je lui file un coup de savate au tibia. Il se penche et je lui remonte le menton d'un coup de genou. Tout cela sans cesser de tenir mes bras levés. Il est assis, plus étourdi que Manon, sur le tapis, en train de chercher ce qui vient de lui arriver, tandis que tout le monde rigole.

Je le vois attraper son pistolet — du reste c'est le mien — celui que Sorrenti m'a offert et je les ai mignonnes. Je sais qu'un gars humilié comme Bruno vient de l'être ne se connaît plus et qu'il descendrait sa petite sœur dans son berceau si elle avait l'air de ricaner.

— Allons, proteste Else, ne fais pas l'enfant, mon chéri.

Il hésite, puis se contient et va s'asseoir.

— Qu'est-ce qu'on fait maintenant ? demande la fille rousse.

Else fronce les sourcils.

— Vous, fermez votre claquet, dit-elle. Asseyez-vous devant la porte avec Billy. Toi, Billy, conserve ton pistolet toujours braqué dans la direction de ce cher commissaire ; comme tu l'as vu, c'est un dégourdi et un nerveux. Vous l'avez désarmé au moins ?

— Je lui ai attrapé son feu, dit fièrement Bruno.

Je retiens un beau fou rire. Je ne sais pas si vous avez pour deux lires de mémoire, sinon je vous rappelle que le consul m'a fait cadeau d'un 7,65 que, jusqu'ici, je n'ai pas eu l'occasion d'utiliser. Ce pétard, je le sens peser dans ma poche. J'ai envie de le caresser comme une bonne bête, toute prête à faire ce qu'on lui ordonne.

— Ça va, fait Else, vous pouvez baisser les bras et vous asseoir. Qui est cette femme ? demande-t-elle en désignant Jeannine.

— La sœur du consul de Naples. A ce propos, j'ai appris qu'il a été descendu dans le train.

Elle sursaute et son mouvement achève de me convaincre qu'ils ne sont pas dans le coup.

— Sans blague, et les plans ?

— Je m'excuse de me mêler à la conversation, dis-je, mais je peux répondre à cette question. Les plans sont à Paris. Et je doute qu'on puisse les faucher une seconde fois parce que si ceux qui en ont la responsabilité ne mobilisent pas une partie des réservistes pour les garder, c'est qu'ils sont tellement crétins qu'à côté d'eux votre copain à la gueule plate passe pour Michel-Ange.

Else fait la grimace.

— Oui, ma tendre amie, c'est du tordu pour toi. Avec tout le pognon que tu as engagé pour fréter cette

expédition, tu aurais mieux fait de t'acheter une épicerie
fine et de vendre honnêtement du pain d'épices et des
bouteilles de Marie-Brizard pendant que tu es assez belle
pour attirer le client. Fais-toi une raison. En somme,
ç'aurait pu être plus moche.

Elle me toise méchamment.

— Que veux-tu dire ?

— Ceci, il me manque le code que vous-même recher-
chiez, il n'a pas grande importance en lui-même, mais le
gouvernement français préférerait qu'il ne traîne pas
n'importe où. Donnez-moi des tuyaux sur la façon de le
récupérer et j'oublie vos sales combines ; sinon, je vous
fais tous arrêter et si vous ne connaissez pas les geôles
italiennes, vous en saurez long sur la question d'ici peu de
temps.

Le Billy part d'un grand rire.

— Sans blague, tu te crois où, dis, poulet ? Qui c'est
qu'est au bout de mon pétard ?

— Il a raison, remarque Else, tu te prends trop pour un
caïd, San-Antonio. Tu devrais comprendre, avec ta
psychologie coutumière, qu'une femme déçue aime à se
venger. Tu m'as tué trois hommes, tu as fait échouer une
entreprise qui, comme tu le fais remarquer, m'a coûté
beaucoup de temps, de patience et de fric. Tout ce qui me
reste, c'est la satisfaction de me payer sur ta peau. Et je ne
vais pas m'en priver. Pour commencer, on va faire des
trucs pas drôles à cette fille pour laquelle tu m'as l'air
d'avoir un fameux béguin ; ensuite ce sera ton tour et tu
t'apercevras que tout ce que tu as lu sur les méfaits de la
Gestapo, ce n'était que de la littérature rose comparativement à ce que tu subiras.

A ce moment, j'éternue et je fais le type embêté parce
qu'il a besoin de se moucher ; je fouille dans ma poche
comme pour chercher mon tire-gomme. Ces préparatifs
afin que le geste de mettre ma main à cet endroit ait l'air
naturel.

Il est, à mon avis, grand temps d'essayer quelque chose.
Je croise les jambes afin de remonter le canon de mon

pistolet. Je vais tirer au jugé, à travers mes fringues, sur Billy, puisque c'est lui qui tient un pétard. Je calcule bien. Je ne veux pas le buter parce que je n'aime pas liquider un type en douce. Je vais essayer de l'avoir à l'épaule. Doucement, je relève le cran de sûreté. Je presse sur la détente.

Ça ne fait pas un gros bruit, les assistants sont éberlués de voir Billy se renverser en hurlant.

— Mettez-vous à plat ventre, crié-je à Jeannine ; il va y avoir un bombardement.

En effet, Bruno réagit sec. Le 9 mm. de Sorrenti, tourné dans ma direction, crache épais. Heureusement les balles passent au-dessus de ma tête, car je me suis laissé tomber à genoux et c'est le pauvre Billy qui trinque une fois de plus. Il est couché, tout dégoulinant de sang, en travers de son siège, tandis que sa rouquine hurle comme un remorqueur qui réclame le passage à l'écluse.

Je coule un regard à Jeannine, ça se passe bien de son côté. Elle m'a obéi et elle est ratatinée derrière le dos d'un canapé.

Je vise Bruno à la main et je tire, il pousse un cri, son pistolet tombe sur le tapis.

Else qui n'était pas armée lorsque nous sommes venus roule des yeux fous.

— Les bras en l'air tout le monde ! hurlé-je. Tu vois, Bruno, que mes pièces à moi comportent toujours trois actes. J'en ai ma claque de vos simagrées. Je veux le nom du gars qui possède le plan, pas seulement pour le lui reprendre, mais pour lui régler son compte car c'est lui qui a descendu mon copain le consul. Je vais vous le demander séparément. Toi, la rouquine, as-tu quelque chose à dégoiser ?

Elle secoue la tête éperdument. Cette fille, la chose est claire, n'est qu'une poule à la remorque d'un membre du gang.

— Bon, tu ne sais rien. Alors, toi, Else ?

— Tu peux crever, flic.

Elle me sort une foule d'épithètes peu convenables. Je préfère n'y pas prêter attention, je me tourne vers Bruno.

— Mon pauvre vieux, nous allons être obligés de reprendre notre conversation d'*Il Capitello*. Parle ou je recommence mon feu de barrage et ce sera encore de la légitime défense dans mon rapport.

Il balbutie je ne sais quoi ; cette fois il est vidé.

Je me fais plus pressant, alors il se décide.

— Ça va, je vais vous dire.

— Tais-toi, ordonne sourdement Else. Espèce de sale dégonflé.

— Mais, Else... proteste-t-il.

— Suffit. Tu es une pauvre larve.

Je m'impatiente.

— Ecoute, Else, tu as certainement raison en ce qui concerne ta façon de juger ton galantin, mais ne lui coupe pas toujours la parole car vous en pâtirez l'un et l'autre.

Elle a l'air complètement folle, ses yeux lancent des éclairs. Brusquement, elle se jette par terre et pique une crise de nerfs, mais quand je m'aperçois que c'est du flan et qu'elle n'avait comme but, en agissant ainsi, que d'attraper le fameux 9 mm. sur le tapis, c'est un peu tard car elle le tient en main et le vide consciencieusement sur Bruno.

— Garce, hurlé-je, tu es le plus beau résidu de salope que j'aie jamais rencontré.

Elle ricane, allongée devant le corps de l'Italien. Je vois le canon du pistolet se diriger vers Jeannine. La lutte se passe à même le plancher. Si elle tire, ma petite môme de Jeannine va déguster car elle est toujours à plat ventre derrière le canapé. Or, celui-ci est surélevé d'une vingtaine de centimètres.

Je me précipite et je ne sais pas ce qui se produit, mais Else pousse une plainte sourde et devient toute molle. Sans doute ai-je heurté son bras au moment où elle tirait, et la balle s'est logée dans son cou, la tuant net.

Il se fait un grand silence pendant lequel on n'entend que le bruit de nos respirations oppressées et les dents de la rouquine. Enfin, je toussote un brin pour m'éclaircir la voix.

— Oh! Oh! Jeannine!

Elle sort de son coin un peu pâle, mais pas tellement flageolante.

— Ça y est? demande-t-elle.

— On le dirait, comme baptême du feu, vous n'avez pas à vous plaindre.

— Mais je ne me plains pas.

— Si on allait boire un drink?

— C'est un projet défendable.

— Et comment!

Je vais à la rouquine qui est plaquée contre le mur comme une affiche et dont le visage devient vert.

— Ma cocotte, je vais te donner le meilleur conseil qu'on t'ait jamais donné : taille-toi de ce guêpier en vitesse et ne joue plus au gangster, parce que si ça réussit quelquefois, il arrive aussi que ça se termine mal. Il y a assez de casse comme cela ce soir, c'est pourquoi je ne veux pas te créer d'ennuis. Fiche le camp le plus loin que tu pourras et tâche de te faire épouser par un bon zèbre.

Elle ne se le fait pas répéter deux fois. En un clin d'œil elle a saisi son sac à main et s'est ruée au-dehors.

J'offre mon bras à Jeannine et nous sortons.

— En somme, c'est assez maigre comme résultat.

Je ne réponds rien, je réfléchis.

CHAPITRE V

TOUT SE PAIE

Sans façon, nous empruntons la bagnole américaine de mes gangsters.

— Quelle hécatombe! soupire Jeannine.

— Ne vous tracassez pas trop pour cela. Ils n'ont eu que ce qu'ils cherchaient. Il y a des millions de types qui marnent chez Citroën, chez Ford, dans les mines, partout, et qui sont contents de le faire. Ces gangsters appartenaient à la pire espèce de crapules. Quand un soldat dégringole, personne ne rouscaille, et pourtant le soldat n'a pas demandé à se faire démolir le gicleur à des centaines de kilomètres de son foyer, de son boulot, de ses habitudes.

— Vous avez raison, balbutie-t-elle.

— Je vais vous déposer à l'endroit où est remisée votre Talbot et je file à l'hôtel. Quant à vous, allez vous mettre au dodo chez l'ambassadeur.

— D'accord pour récupérer la voiture, mais ne comptez pas que j'aille coucher à l'ambassade.

Elle a un faible sourire.

— Je ne suis pas dans l'ambiance, ajoute-t-elle.

Je me garde d'insister.

— Très bien, alors je vais à l'hôtel, je vous retiens une piaule et je téléphone au chef de la police pour le mettre au courant de ce qui s'est passé.

J'exécute ce programme avec pourtant une variante qui

est la suivante : à peine arrivé à l'*Imperator,* ce n'est pas
une chambre que je commande, mais un triple cognac.

Après la petite séance qui vient d'avoir lieu, j'ai besoin
de me faire installer le chauffage central dans le cor-
gnolon.

Le cognac se laisse boire, au point que j'en redemande.
Tout en avalant ce divin breuvage, je mets mes pensées en
ordre, car elles se sont un peu mélangées ces derniers
temps. Heureusement que mon ciboulot est un excellent
fichier. En un clin d'œil, tout rentre dans l'ordre. A ce
moment-là, je me lève et me dirige vers les cabines
téléphoniques. Je sonne le chef de la police, il est à son
domicile, heureusement ; en quelques mots, je lui raconte
mes toutes dernières péripéties.

— Les bagarres du Mont Cassino, c'était de la foutaise
à côté de mes séances de nuit, conclus-je, mon cher
signore, je vais très prochainement donner un récital
d'écrabouillage de gueules et de torsion de nombrils au
tournevis, il ne faut pas manquer ça.

Puis je change de ton et lui raconte certaines — pas
toutes — de mes idées, ce qui lui fait pousser des
Impossibile! Santa Madonna! et autres exclamations
qui traduisent ses sentiments.

Lorsque je raccroche, il est plus ahuri que si un train de
marchandises venait de lui passer sur le ventre.

Ensuite, je téléphone à l'aéroport et j'y récolte les
renseignements qui me sont nécessaires, tout va bien.

Jeannine est de retour. J'arrive derrière elle sans qu'elle
m'entende et j'admire sa nuque fragile, couverte de
cheveux follets. Si je n'étais pas un gnace qui a une
éducation du tonnerre et qui sait se tenir, je lui collerais
un mimi mouillé sur le cou qui la ferait vibrer comme une
corde de violon.

Moi, le mimi mouillé, c'est pour ainsi dire ma spécialité, mon talent de société. Il y a des gens qui séduisent les
femmes en leur racontant comment ils ont été opérés de
l'appendicite, d'autres en leur faisant des tours de cartes,
d'autres encore en leur récitant du Verlaine, eh bien, en ce

qui me concerne, ce qui me gagne toutes les souris — indépendamment bien sûr de ma jolie bouillotte et de mes manières civiles — c'est le mimi mouillé.

Ne comptez surtout pas que je vous initie à cette pratique galante, vous n'avez pas des têtes à piger. Et puis, chacun se débrouille. Et plus le chacun a des trucs, plus il est marle et doit les garder pour son usage personnel.

Non, décidément, il est trop tôt pour tenter ma chance auprès de Jeannine.

Je lui mets la main sur l'épaule.

— Hello, petite fille !

— San-Antonio !

Elle a dit ça si gentiment, elle a paru tellement rassurée de me voir que j'en suis remué.

— Nous allons grimper dans ma chambre pendant qu'on prépare la vôtre et nous liquiderons un petit alcool pour nous remonter. Ne me dites pas que ce n'est pas convenable, parce que ça me ferait rire et je n'en ai pas tellement envie. Et puis, par ailleurs, j'attends la visite de Sorrenti.

— Vous pensez qu'il pourra vous fournir d'autres indications ?

— Je le pense, oui.

— Espérons…

Nous montons à mon appartement et, confortablement assis dans des fauteuils, nous nous expédions du Buton ; c'est une liqueur italienne qui se laisse boire sans rouspéter.

Vers onze heures, le portier me sonne pour m'annoncer Sorrenti.

Je vais attendre celui-ci à l'ascenseur. Il arrive nippé avec une rare élégance. Il est en smoking et il sent le cuir de Russie.

— Excusez-moi, dit-il, de vous avoir fait faux bond, ce soir, mais j'avais une réunion importante à laquelle je n'ai pas pensé au moment où nous sommes convenus du rendez-vous.

Il entre et salue Jeannine très bas. Puis il enchaîne, volubile comme un joueur de bonneteau :

— Néanmoins, j'ai pu obtenir quelques indications sur les gens qui vous intéressaient. Avez-vous pu en tirer quelque chose ?

— Je comprends.

— Ah bon, soupire-t-il ; voici mes regrets apaisés. Comment cela s'est-il terminé ?

— Par un enterrement collectif.

— Non !

— Mais si.

Je lui raconte notre soirée. Il en bave des ronds de chapeau.

— Vous êtes extraordinaire !

J'ai entendu cette flatteuse exclamation tellement de fois qu'elle ne me cause plus aucun plaisir.

Je lui laisse débiter ses congratulations d'usage.

— En somme, vous avez triomphé sur toute la ligne, conclut-il.

— Oh que non, je n'ai pas encore mis la main sur le code, ni sur l'assassin du consul.

Il ouvre des yeux ronds.

— Mais je croyais, fait-il surpris, que Bruno avait fait le coup.

— Je le croyais également, mais il s'avère qu'il ne pouvait l'accomplir pour la raison excellente qu'il était dans l'avion Naples-Rome et non dans le train au moment où M. de Pival a été poignardé.

— C'est un complice, alors ?

— Je ne le pense plus. Else a eu l'air vraiment surprise en apprenant la mort de notre ami. N'est-ce pas, Jeannine ?

— J'ai remarqué cela aussi, affirme la jeune fille ; si vous tenez à avoir une opinion féminine, eh bien, je vous dis que cette femme ignorait vraiment la mort de mon malheureux frère.

Il y a un silence épais comme de la mélasse.

Sorrenti hausse les épaules.

— En tout cas, remarque-t-il, les chances de retrouver le code me paraissent bien minces maintenant que toute la bande est anéantie. Car ils ont dû les cacher soigneusement.

Je fais quelques pas dans la pièce.

— Ils ne l'avaient pas.

— Vous êtes sûr ?

— Certain.

— Qu'en concluez-vous alors ?

Je le regarde.

— Et vous ?

— A vrai dire, je ne sais plus que penser.

— Bast, ça s'arrangera, je suis optimiste avant tout, assuré-je. A propos, je vous remercie pour votre pistolet.

Je fouille ma poche et sors l'arme.

— Je vais vous rendre ce joujou.

Sorrenti esquisse un geste de refus.

— Gardez-le, il peut vous être utile.

— ... Mais, et vous ?

— Oh moi, sourit-il, en dégainant dessous son bras un Smith et Wesson à long canon, je suis paré.

Je pousse un sifflement admiratif.

— Bigre, dis-je en m'emparant de son arme, vous donnez dans l'artillerie lourde.

Brusquement, l'éternel sourire qui voltige sur les lèvres de Sorrenti disparaît, il vient d'avaler comme un comprimé d'aspirine et il fait la grimace, ce changement de physionomie a une cause et la voici : je tiens un pistolet dans chaque main et les deux canons sont braqués sur son estomac.

— Dis donc, Sorrenti, si on parlait à cœur ouvert ?

Jeannine pousse une exclamation de surprise.

— Que faites-vous ? s'exclame-t-elle.

Je lui réponds âprement, sans quitter Sorrenti du regard :

— Mon boulot, petite fille. N'ayez pas peur, je ne suis pas dingue.

— Mais... mais... bêle le Rital, signore, c'est une plaisanterie.

— Tu trouves qu'en ce moment j'ai la touche d'un gars qui va acheter du fluide glacial et un briquet farce pour rigoler en société ?

— Mais, signore, je ne comprends pas.

— Ah, tu ne comprends pas, eh bien, le signore va éclairer ta lanterne, mon salopard, et puis il te fera bien d'autres trucs par-dessus le marché. Le signore, vois-tu, n'est pas la moitié d'une gonfle, Dieu merci, la fée qui distribuait la jugeote et l'imagination n'est pas allée aux bains turcs lorsque ça a été le tour du signore de recevoir sa part.

Je m'assieds sans cesser de le tenir en respect.

— Je vais te raconter la vérité, telle que je l'ai reconstituée dans ma caboche en nickel-chrome. Lors de notre premier entretien dans le bureau du chef de la police secrète, tu m'as dis très franchement ce que tu savais, car tu n'avais pas pris le temps de réfléchir. Mais lorsque j'ai été parti, il t'est venu une idée. Tu t'es dit que le type qui aurait les plans dans sa poche pourrait faire le blé qu'il voudrait, alors comme tu savais que j'attendais les photos de Tacaba pour rendre visite au bistrot que tu m'avais indiqué, tu as remué le panier au photographe de l'identité judiciaire et tu lui as fait faire deux sortes de clichés ; primo une image du corps baignant dans son jus, secundo un portrait retapé du défunt ainsi que je l'avais demandé. Tu as pris la première photo et tu as couru chez le cafetier parce que tu voulais avoir des tuyaux sur l'affaire. Au début, le bonhomme s'est fait tirer l'oreille, mais tu lui as parlé de moi, tu lui as annoncé ma visite et tu l'as terrorisé en lui faisant voir sur la photo comment je traite les bonshommes qui ne sont pas de mon avis. Alors, le type a eu vachement les jetons et il t'a proposé une tractation : il te remettait le code et tu l'innocentais. Cette proposition t'allait au poil, tu n'en espérais pas tant et tu as dit gi-go. Le couillon t'a donné le code, je me demande comment il se trouvait en sa possession, je suppose toutefois que, servant de Q.G. au gang dont il faisait partie, il avait exigé de sérieuses garanties. Enfin peu importe... Seulement, une fois que tu l'as eu, tu t'es dit que j'allais rappliquer avec mes grands pieds... Pour que tu puisses mener ton affaire à ta guise, tu as séché le copain.

Je m'interromps, Sorrenti est un peu moins pâle qu'une olive. Ses lèvres sont de la couleur de son plastron.

— C'est faux! C'est faux! glapit-il. Signore, vous plaisantez.

Je m'approche et lui colle un coup de genou dans le bas-ventre pour le faire taire et lui prouver que je suis on ne peut plus sérieux.

Pour avoir la main libre, je lance un des revolvers à Jeannine en lui disant de le mettre hors d'atteinte de Sorrenti. Après quoi je fouille ce grand délabré. Dans son portefeuille de croco, je trouve le code.

— Et ça, mon grand?

Il ne dit plus rien, il a la bouche ouverte et les yeux fixes.

— Parlons maintenant de la suite. Le gamin t'apporte mon mot. Soucieux de montrer ton zèle, tu te radines presto au volant de ta calèche, tu arrives au moment où Else et ses gars m'embarquent dans leur voiture.

« Décidément, le hasard travaille pour toi, tu n'as plus qu'à les suivre, ils vont te conduire jusqu'aux fameux plans. Et tu les suis jusqu'à la côte où tu les vois monter et me monter à bord de leur caravelle. Là tu es déconcerté, tu ne peux en effet faire donner la police comme tu l'aurais fait s'il s'était agi d'un repaire fixe, et à la faveur de l'arrestation étouffer les documents. Tu reviens à Rome. Tu prends les seules dispositions qui te soient permises. Comme tu es un flic plus ou moins vrai, mais un authentique forban et que tu règnes sur la pègre, tu préviens tous les indics des ports d'avoir à guetter l'arrivée possible du barlu. C'est ainsi que tu apprends que le bateau d'Else croise du côté de Napoli. Tu rappliques sur place et tu attends après avoir mobilisé la racaille de l'endroit pour surveiller la côte. De la sorte, tu apprends mon arrivée chez le consul où j'ai été conduit par un pâle voyou.

« Tu comprends que j'ai mis la main sur les plans, lorsque tu t'aperçois que le consulat est surveillé par les gens d'Else. Rien n'est perdu. Il s'agit de faire vite et de profiter de l'occasion. Tu nous suis jusque dans le train, assez prudemment, puisque je te connais ; justement parce que tu te dissimules, tu ne t'aperçois pas de ma fugue.

« En cours de route, tu te décides à jouer ton va-tout. Il n'y a plus que le consul dans le compartiment. Tu en déduis que je suis redescendu parce que je m'étais aperçu que Bruno me suivait et que j'ai remis les plans à mon compagnon, alors tu l'as buté, ordure. Sitôt de retour à Rome, tu as fait rechercher Bruno et Else puisque tu avais leur signalement et c'est toi qui leur as envoyé un mot pour leur dire de venir à *Il Capitello*. Tu voulais te débarrasser des uns et les autres en nous mettant en contact. C'est pour ça que tu n'es pas venu. »

Je le regarde comme je regarderais une araignée.

— J'ai téléphoné à l'aéroport tout à l'heure. Je voulais vérifier si Bruno avait bien pris l'avion, il n'avait pas menti. Par la même occasion, j'ai fait demander si on trouvait ton nom, sur les parcours aller de ces derniers temps, et on m'a appris que tu t'étais envolé pour Naples, le lendemain de mon kidnapping.

Je regarde l'heure.

— D'ici dix minutes, ce sera plein de flics ici. J'ai mis au point ton arrestation. Auparavant, je vais te corriger un brin.

Je tends mon second pistolet à Jeannine et je pose ma veste.

Sorrenti est pantelant.

Afin de le ravigoter, je lui mets un direct du gauche sur le nez ; le sang jaillit comme le pétrole d'un pipe-line. Je poursuis par un doublé aux tempes. Alors il se réveille et

s'avance sur moi. Il esquisse savamment un uppercut et
me refile un coup de pied au foie qui me fait tousser.

Cette fois j'y vais de bon cœur. Il en prend de partout.
Mes bras bougent comme vibre la corde d'un violon. Il
s'accroupit. Je vais pour le finir d'un coup de savate au
front, mais il m'attrape le pied et je bascule. Il est sur moi
tout de suite et me tient les bras plaqués au sol. Je lui fais
un ciseau et nous nous neutralisons. Comme pour les
journaux concurrents, c'est celui qui tiendra le plus
longtemps qui gagnera. D'un effort terrible, je le renverse, il me lâche.

Nous soufflons un instant comme des phoques et
soudain, un frisson me court dans le dos, Sorrenti a un
couteau à la main. Je ne sais où il l'avait planqué, mais il
s'est débrouillé pour le sortir au bon moment.

Dans une seconde, il va le lancer, et je suis dans un coin
de la pièce où il n'y a pas de meubles derrière lesquels je
pourrais me protéger.

Pan, pan, pan !

Trois coups comme au théâtre. Je vois fumer le Smith
et Wesson dans la main de Jeannine.

— Alors, Jeannine, m'exclamé-je, on se met au
boulot ?

CONCLUONS ENTRE NOUS

Un qui n'en est pas revenu, c'est le comte Sforza, lorsqu'il a vu son copain Sorrenti allongé à côté de mon lit comme une carpette qu'on a roulée pour l'envoyer au dégraissage.

— Morté ! a-t-il dit.

— Complétamenté, lui ai-je répondu.

Il a gratté sa tête aussi chevelue qu'un verre de montre.

— Cé Sorrenti, quand même, qui c'est qui l'aurait dit, que c'était ouné crapoule !

Je me suis marré.

— On peut se gourer sur les gens, Pas vrai ?

Et je lui ai expliqué comment mes soupçons étaient nés.

— Vous pensez, lui ai-je dit, je me méfie toujours des petits copains qui en savent trop long. Lorsque j'ai compris que mes gangsters n'étaient pas coupables du meurtre du consul, j'ai commencé à réfléchir sérieusement et c'est alors que je me suis aperçu qu'il existait un personnage mystérieux qui jouait son rôle en sourdine, ça pouvait être vous...

— *Santa Madonna !* glapit le comte Sforza...

— ... ou Sorrenti, ai-je achevé. Il me donnait trop de précisions sur les agissements de la bande à Else. Comment pouvait-il savoir que Bruno était à *Il Capitello* sinon parce que lui-même lui avait conseillé d'y aller ? Et puis, voyez-vous, lorsque j'ai vu notre lascar en votre compa-

gnie chez l'ambassadeur, une chose a retenu mon attention. Sorrenti avait des vêtements maculés de suie, comme
lorsqu'on fait un trajet en chemin de fer. Lui si soigneux !
J'en ai déduit qu'il venait de voyager et n'avait pas eu le
temps de se changer lorsque vous lui avez demandé d'aller
à l'ambassade.

Me revoilà en France, à Paname !...
Tout à l'heure, lorsque Félicie aura repassé ma chemise, j'irai boire l'apéro au *Dauphin* avec quelques-uns de
mes collègues. J'ai justement une revanche à prendre au
421 avec le commissaire Berliat.
La guigne, c'est l'enterrement de cet après-midi. Moi,
les funérailles, ça me fiche le cafard. Pas tellement à cause
des crêpes et des couronnes, mais parce qu'il faut serrer la
pince à un tas de zigues qu'on ne connaît pas en leur
murmurant des trucs pleurards. Mais enfin, je ne peux
pas ne pas y aller. Que penserait Jeannine ! Peut-être que
le noir lui va bien, à cette gosse. Et puis, un ministre ou je
ne sais quoi de ce genre va cloquer la Légion d'honneur à
titre posthume à Gaétan. Vous allez me dire que là où il
est, les décorations sont toutes pareilles et qu'on se les met
au-dessus de la tête ; mais n'empêche que ça fera plaisir à
la famille.

Dans quelques jours, j'irai faire une visite de politesse à
Jeannine, et puis, j'y retournerai le lendemain, et encore
le lendemain, jusqu'à ce qu'arrive le moment de lui
exposer ma théorie sur le mimi mouillé. Je sais être
tenace.
Pour d'autres détails, il faudra vous reporter aux
prochains volumes ; ça suffit pour aujourd'hui. Et tâchez
de ne pas être déçus. Les lecteurs le sont toujours ; que ce
soit drôle ou triste, que ça finisse bien ou mal, c'est une
fichue manie qu'ils ont de ne jamais être satisfaits.

Enfin, quoi, comprenez que pour le prix du bouquin, mon éditeur ne peut pas vous donner une vache. Et même s'il le faisait, vous auriez encore le culot de lui demander si elle est pleine.

FIN

Le spectacle est terminé
Toute sortie est définitive

Achevé d'imprimer le 19 juin 1981
sur les presses de l'Imprimerie Bussière
à Saint-Amand (Cher)

N° d'impression : 1862.
Dépôt légal : 3ᵉ trimestre 1981.
Imprimé en France